버림받은 황비

만화 인아 · 원작 정유나

The Abandoned Empress

9

완결

버림받은
황비

사냥대회 개최

모니크 경,
성적이 좋으신데요?

오늘은 운이
따라 주는
모양이네요.

아침에
작은 사고가 있었다
들었습니다.

아… 별일
아니었습니다.
걱정 마십시오.

06

아침에 보니
말고삐와 안장 끈이
반쯤 잘려 있었어.
분명 전날
점검했는데.

다시 한 번
확인하지 않았다면
낙마했을지도 몰라.

대체 누가
그런 짓을 한 거지?

쿠어어어

!!

곰?!

화살을
맞았구나!
흥분한
상태야!

이런, 모두
산개하라!

모니크 경,
일단 이곳을
빠져나가
십시오!

!!

어떻게
된 거야?

다쳤으면
진작 말을
했어야지.

워낙 사정이
급박했던
탓에….

상처가
깊어 보이니
일단 돌아가자.

그리하셨다가 사냥을 포기한 거라고 구설에 오르면 어쩝니까.

일단 돌아가서 상처를 치료하도록 해.

자네는 휴식 중인 다른 종자를 찾아 데려오도록 하고.

하지만… 모니크 경 혼자만 남게 되지 않습니까.

난 우선 가까운 곳에 합류할 테니 걱정 마.

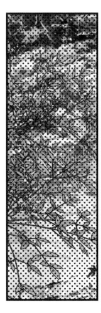

이 말도… 곰을 피할 때 다친 모양이야.

어쩌지?
도움을
요청할 곳도
없는데….

푸르릉

…제국의 태양,
황제 폐하를
뵙습니다.

어째서
홀로 있지?

실력 좋은
기사들과
함께 가는 것을
보았는데.

사고가 좀
있었습니다.

헌데 폐하께서는
어째서 근위 기사만을
대동하고
계십니까?

홀가분하게
있고 싶어
모두 따로
행동하라 했어.

보아하니
말이 다친 것 같은데
그대는 괜찮은가?

저는
괜찮습니다.

그렇군.
무사해서
다행이야.

자, 올라와.

막사까지
거리가 상당한데
홀로 가게 둘 순 없어.

011

이제 남은 건
군신 관계밖에
없다고 생각했는데

어제부터 자꾸
지난 일들이
떠올라.

은색 꽃이
피었나요?!

그리고 보니
그 은색 꽃
말인데.

전에 얼핏
벌어진 것처럼
보이기도 했는데

정말 폈던
건가요?!

푸쉬

그 꽃에 관심이
있는 줄은 알았지만,
이 정도일 줄은
몰랐네.

얼마 전에 보니
조금 벌어진 것도
같던데 아직
피지는 않았어.

꽃이 피거든
얘기해 주도록
할게.

소, 송구합니다,
폐하.

황실 사냥터에
이런 곳이
있었는지는
미처 몰랐군.

그동안 바빠서 내려올 틈이 없던 탓에 기억이 가물가물했어.

이제 몸은 괜찮나?

네, 괜찮습니다. 벌써 한참 전 일이니까요.

나뭇잎이 붙었어.

폐, 폐하?

015

왜 그래?

아, 아무것도 아닙니다.

왜 이러지.

요 며칠간의 나는 너무 이상해.

나답지 않아.

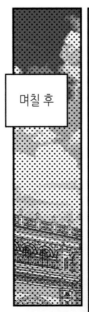

며칠 후

소문으로만 돌던 제3기사단과 제4기사단의 창설 공고가 떴다.

그에 따라 정식 기사를 대거 선발한다고.

두 기사단장은 에네실과 미르와 후작가일까요?

폐하께서 아무래도 한 곳은 내어 주실 생각이신가 보네요.

두 개의 기사단을 증설하는 대신 거래를 하신 거겠지.

선황제 폐하 시절에 있었던 대규모 숙청작업으로 인해

본디 다섯 개였던 기사단이 세 개로 줄어들면서

여러 문제점이 야기되고 있었으니까.

개편의 필요성이야 모두 느끼고 있었지만

그간 계파 간의 알력으로 인해 손대지 못했던 것이

이제야 간신히 받아들여졌으니 사람들이 흥분할 만도 해.

젊은 영식들에게는 그야말로 황금 같은 기회니까.

정식 기사 선발까지 앞으로 약 한 달.

오늘부터는 특훈을 해야겠어.

그런데 조금 이상하지 않습니까?

미르와 영식은 기사 작위도 없는 것으로 아는데

과연 단장직을 제대로 수행할 수 있을까요?

어차피 영식과는 상관없는 얘기 아닌가요?

단장 자리는 보통 가주에게 돌아가는 법이니까요.

미르와 후작은 얼마 전 낙마하는 바람에 위중한 상태라는 말을 들었습니다.

조만간 영식이 후작위를 승계할지도 모른다고 하더군요.

그렇다면 그도 이번에 선발 시험을 보는 것일까?

아무리
뒷조사를 해도
지나치게
깨끗한 점이나

자꾸
친근하게 굴며
접근해 오는 점.

제나 가와
행보를 같이하고
있음에도 묘하게
다른 구석이
있는 점도 그렇고

미르와
후작가에 대해
파헤칠수록
뭔가 찜찜해.

분명 어딘가
거슬리는 구석이
있는데

그게 뭔지
알 수가 없어.

제나 가에 이어
귀족파 서열 2위인
미르와 후작가가?

확실히
수상쩍은 냄새가
나는군그래.

내 상세히
조사해 보도록
하지.

그리고
제나 공작가
산하 상단에 대한
정보가 필요합니다.

파산이라도
시킬 생각인가?

일단 장미를
키울 거름을
없애볼까
생각 중이라서요.

그 정도라면야
자체적으로
보유하고 있는
자료만으로도
충분할 테니

행정부 선에서
처리하겠네.

제나 공작가 산하
상단 한 군데가
제법 큰 타격을 입었군.

지은은 왜 모슬린이
유행하지 않는지에 대해
고민하고 있으려나?

이쯤 됐으면
정말 바보가 아닌 이상
내가 꾸민 일이라는 것쯤은
알아차렸겠지.

몹시
화를 내고
있지 않을까?

이것은 전에 포섭한 귀족파의 아피누 자작에게서 받아낸 문서입니다.

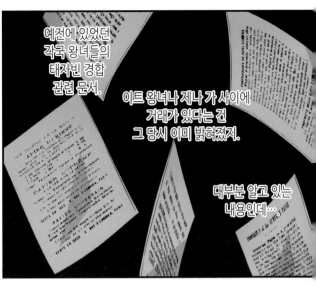

예전에 있었던 각국 왕녀들의 태자빈 경합 관련 문서.

이트 왕녀나 제나 가 사이에 거래가 있다는 건 그 당시 이미 밝혀졌지.

대부분 알고 있는 내용인데….

문제는 이거예요.

이래서야 독약 사건을 주도했던 라니에르 백작의 비밀 서류를 입수해도 아무런 소용이 없어.

라스 가에서 쓰는 인장이죠.

난감하게 됐네요.

저 인장이
제나 가의 것임을
증명하지
못하는 이상

자칫 잘못하다가는
엉뚱한 라스 가에
불똥이 튈 수도
있는 일이야.

그리고
제나 공녀는 최근
신전과 연계하여
빈민 구제 사업을
하고 있습니다.

다만 제나 가가
막대한 자금을 내놓고
부탁했는데도

신전이 대부분의
금전을 착복해서,
무상으로 제공하기로 한
음식을 돈을 받고
팔고 있답니다.

그 탓에 빈민 대신
보다 싸게 끼니를
해결하려는 평민만
혜택을 받고요.

도대체가, 일을 벌였으면 관리를 할 줄 알아야지.

하지만 솔직히 좀 의외네?

생각이라곤 전혀 없는 애인 줄 알았는데.

〈긴급〉
장미 꽃봉오리 발견.
NEC5-R.
개화 시간은 불명.

NEC5-R.
북동쪽 평민 구역 다섯 번째 블록의 빨간 지붕 집이라.

두 사람의 접촉 시간만 알아낼 수 있다면 완벽할 텐데.

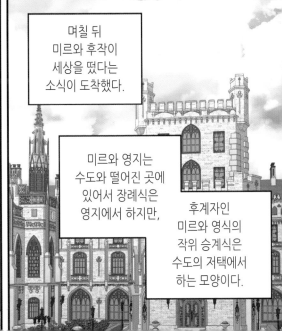

며칠 뒤 미르와 후작이 세상을 떴다는 소식이 도착했다.

미르와 영지는 수도와 떨어진 곳에 있어서 장례식은 영지에서 하지만,

후계자인 미르와 영식의 작위 승계식은 수도의 저택에서 하는 모양이다.

저렇게 슬퍼하면서
어째서 장례식에
참석하지 않고 수도에
남아 있는 거지?

상심이
큰가 보네.

모니크 영애.

애기 좀
할까요?

너 요새 무슨 짓을
하고 있는 거야?

무슨 말씀이시죠, 제나 공녀?

내가 모슬린을 사들이고 있다는 사실을 알고 훼방 놓은 것도,

우리 가문 산하 상단을 행정부에 고발한 것도 모두 네 짓이잖아.

무슨 말씀이신지 도통 모르겠군요. 모슬린을 사들이고 계셨습니까?

그리고 고발이라뇨? 제나 공작가 산하 상단이 뭔가 비리라도 저질렀나 보지요?

시치미 떼지 마.

너 말이야. 뭘 착각하고 있는 거 아냐?

화를 낼 사람은 이쪽인데? 억울하게 모든 것을 빼앗겼던 쪽도, 독을 마셨던 쪽도 네가 아니라 나라고.

025

제국에서 가장
살기 좋다는
이 수도에도
빈민은 있어.

너같이
뼛속까지 귀족인
사람은 모르겠지만!

닥쳐! 네가
뭘 안다고
큰소리야?

요즘
빈민 구제 사업을
하고 있다지?

그것도 신전과
연계해서
말이야.

하루하루
먹고살기도
힘든 이들에게
무상으로 한 끼
제공하는 거야!

넌 지금
그 일을 위한
자금을 끊어버리려
했다고!

네 분풀이를
위해서!

제대로 관리도
못 하는 주제에
큰소리는.

뭐라고?!

일만 벌여 놓고
제대로 관리도
못 하는 주제에
어디서 화풀이지?

네 자금줄이
멀쩡했더라도
신전 배불리기밖에
안 됐을 텐데.

무슨 소리야?

포크를 쥐여 준
걸로도 모자라서
떠먹여 주기까지
해야 해?

궁금하면
직접 알아봐.

나만 보면 증오심을
불태우는 애한테
사정 설명을 해 줄
필요까지는 없지.

이만큼 알려 준 것만
해도 충분히 은혜를
베푼 거 아냐?

디아스
백작부인!

이만하면 예의는
충분히 차린 것
같군요.

그만 돌아가죠,
리그 경.

뭔가 목적이 있어서
오신 것
아니었습니까?

네, 절반은 이뤘으니
이제 나머지 일을
하려고요.

꺄악!

누,
누구냐!

네, 네 이놈!
여기가
어딘 줄 알고
감히…!

오랜만입니다, 제나 공자.

그딴 식으로 나를 부르지 마라!

그럼 **작위도 없는 분을** 제가 뭐라고 불러야 할까요?

…바라는 게 뭐냐?

얘기가 빨라서 좋군요.

하긴, 공자께서도 디아스 가의 후계자가 실은 제나 가의 사생아임을 만천하에 알리고 싶지는 않으시겠지요.

사생아라니?! 그녀는 그런 사람이 아니다!

네년의 기준으로 판단하지 마라!

글쎄요. 공자께도 그리 나쁜 얘기만은 아닐 겁니다.

저를 도와주시면,
저도 공자께서 작위를
물려받으실 수 있도록
돕겠습니다.

어떤 식으로
말인가?

제게 독을 먹이라고
지시한 사람이
제나 공작 전하임을
압니다.

증거도
확보했습니다.

그것들을 공개하면
계파는 물론이거니와,
황제 폐하께서도
절대 묵과하지
않으실 겁니다.

흥, 그건
아버님께서 하신 일이
아니야.

설사 그렇다 하더라도
그깟 일로 무너질
본가가 아니다.

기껏해야 아버님이
물러나시는 선에서
마무리되겠지.

내가 무엇 때문에
널 도와야 하지?

가만히 있기만 해도
작위는 넘어올 텐데.

글쎄요,
과연 그럴까요?

요즘 공녀의 행보가 심상치 않더군요.

입양된 지 몇 달 만에 귀족파 중진들의 마음까지 사로잡은 데다, 신전에서는 성녀로까지 추앙받고 있다지요?

설마 내가 그 천박한 것에게 작위를 빼앗기기라도 할 거란 소리냐?

물론 정상적인 경우라면 불가능하겠죠.

하지만 오늘 일이 세상에 알려진다면 어떨까요?

제나 가의 가신들이 과연 공자를 후계로 세우려고 할까요?

지금 나를 겁박하는 것인가?

아뇨. 현실을 말하는 겁니다.

그 상황에 저라면 차라리 방계의 인재를 후계로 밀겠습니다.

그 인재를 성녀라 불리는 공녀와 결혼이라도 시킨다면 금상첨화일 테고요.

…원하는 게 뭐길래 이렇게까지 하는 거지?

별것 아닙니다.

그냥 제게 '그것'을 주시기만 하면 됩니다.

그것이라니? 설마….

아무래도 우리가
그들의 뒤를
조사하고 있다는
정보가 새어나간 것 같다.

그렇다면
속셈은 뻔하다.

그러나 한 달 뒤,
정식 기사 시험 중에
믿을 수 없는 소식을
전달받았다.

먼저
황제파의 지지세력을
분열시키려는 계산.

아이를 가지지 못하는 내게
황후 자리를 양보하고,
지은을 황비로 밀어
황태자를 보겠다는 심산.

게다가
우리 모니크 가의
작위를 환수하려는
목적까지.

정무회의에서
갑자기 귀족파가
지은이 아닌,
나의 황후 입후를
주청한 것이다.

내가 후계자 자리를
포기할 경우엔
아버지의 사망과 동시에
작위가 환수된다.

다른 가문과 달리,
우리 가문은
황실과의 언약 때문에
혈연만이
뒤를 이을 수 있으니까.

그건 제가 묻고 싶은 얘기입니다만.

너 뭐야?

네 입으로 황후 경합에서 물러나겠다고 했잖아.

무슨 짓을 했기에 우리 파벌에서 내가 아니라 널 황후로 세우자고 한 거지?

그렇게 당하고도 그에게 미련이 남았어?

네 가문을 멸문시키고, 네 아이마저 유산되게 한 남자야!

널 죽인 남자라고!

그런데도 좋아? 제정신이야?

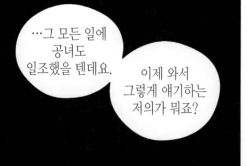

…그 모든 일에 공녀도 일조했을 텐데요.

이제 와서 그렇게 얘기하는 저의가 뭐죠?

넌 참
사람 보는 눈이
없어.

마음 준
사람에 대해
보고 싶은 면만
보잖아.

궁금하지 않아?
네가 그토록
사랑하는 남자의
본모습이.

네가 죽은 후에
있었던 일이.

일전에 네가
말했지?

네 모든 걸
앗아 갔으면서
그 정도로는
성에 안 찼냐고.

사랑
좋아하시네.

지금 그가 네게
속삭이는 사랑이
영원할 거라 생각해?

겨우
4년이었어.

그토록 사랑한다고
속삭인 주제에
고작 4년 만에
등을 돌렸어.

죽도록 노력했지만
늘 너와 비교당했지.

웃기지 않아?
온갖 짓을 다 저지르고
제 손으로
죽이기까지 한 여자를
그리워하다니.

그게
무슨 소리죠?

그는 네가 죽고 나서
한동안 몹시
홀가분해 보였어.

눈엣가시였던 너도,
지긋지긋하게 옭아매던
두 공작도 모두 사라졌으니
살 것 같았겠지.

하지만 막상 죽이고 나니
유능한 여자가,
그리고 네 파벌의 지지가
아쉬웠던 모양이야.

언제부턴가
슬금슬금 찾기
시작하더군.

이미 없는 여자의
흔적만 좇다
반미치광이가 될 정도로
자기 편한 것만 찾던

이기적이기
짝이 없는
남자야.

결국, 너도 나도
그에게
이용당했을 뿐.

넌 살아 있는 내내
그에게 봉사했고,
난 그가 죽도록 미워했던
네게 상처 주기 위한
도구였지.

…더 듣지 않아도
과거의 그와 지은이
어떤 파경을 맞이했는지
알 것 같아.

사랑을 제대로
주지도 받지도
못했을 그와

받기만 했을 뿐
제대로 돌려주지
못했을 지은.

그토록 원했을 땐
단 한 번도
돌아봐 주지 않더니,
모든 일이 끝난 뒤에서야
나를 바랐단 말인가.

하지만
지은.

…이기적인
사람이라는 건
애당초 알고 있었어.

당시 내겐 아무것도,
아버지조차도
보이지 않았어.

내게 소중했던 건
오직 그 사람
뿐이었어.

그가
잘했다는
것도 아냐.

날 취했을 때도
무섭거나
두려웠던 게
아니었어.

마지막 순간 내겐
전혀 소중하지 않다
생각했던
아버지의 사랑을
깨닫기 전까지

사랑해서
그런 것이 아니라는
사실이 서글펐을 뿐.

유산하고
불임이 되었을 때도,
그저 다시는 그의 관심을
받을 수 없다는
사실에 슬펐어.

나는 단 한 번도
그를 증오했던 적이
없었어.

…미쳤구나, 너.

하지만 돌아온 이후 난 내 주위를 메우고 있는 수많은 사람의 소중함을 깨달았어.

그랬으면 더더욱 그를 다시 사랑해서는 안 되는 거 아냐?

네 소중한 사람들을 위해 복수했어야 하는 게 아니냐고.

내가 왜 그래야 하지?

어째서 아직 일어나지 않는 일 때문에 아버지와 주변 사람들의 목숨을 걸고 복수심을 불태워야 하는데?

네 말대로라면, 아무 일도 저지르지 않은 현재의 그를 상대로 혹시 그럴지도 모른다는 이유를 들어

하지도 않은 일의 죄과를 물어야 한단 말이야?

넌 그저 그를 다시 사랑하고 싶어서 다르다고 합리화하고 있을 뿐이야.

사람의 본성은 그렇게 쉽게 변하지 않아.

그 둘은 같아. 같은 사람이라고!

아니, 달라.

현재의 내가 과거의 내가 아니듯, 그도 마찬가지야.

그때 가서 본색이 드러나지 않는다고 어떻게 장담해?

과거의 일이 되풀이되지는 않을 거라고 어떻게 확신하는데?

지금이야 잘해 줄지도 모르지. 하지만 네게서 마음이 떠난 후에도 그럴까?

내가
변했으니까.

하지만
지금의 나는
달라.

…너,
전부 깨달은 사람처럼
행동하지 마.

네 말대로 사람의 본성이
변하지 않는 거라면
나 역시 과거와
같아야 하는 거잖아.

과거와 현재가
다르다고 주장하면서도,
사실은 믿지 못하고
있잖아.

그러니 그토록
그를
거부하는 거겠지.

이제 그만
그에게서 떨어져.

과거를 되풀이할까 봐
두려워하고 있는 주제에
잘난 척은.

분명 과거와 현재는
다르다고 생각했는데.

어째서 나는
무작정 피하려고만
든 걸까.

반복되는 일을 막는 게
운명을 개척하는
방법이라고
생각해 왔는데

과연 맞게
생각한 걸까?

어느 순간부턴가 나는
더 변해야 한다는
강박관념에
빠져 있던 건 아닐까?

얼마 뒤,
드디어 기다리던
정식 기사가 되었다는
합격 통보를 받았다.

지난 6년간 노력해서
마침내 그토록 바라던
'**자격**'을
손에 넣은 것이다.

제국력
964년 9월 1일,
정식 기사 서임식

사자에게
충성을.

이 생명을 주신 분은
비타이나
이 생명을 바칠 분은
주군이실지니.

이 몸에 흐르는 피와
이 몸을 이루는 살을
바치오니,
당신의 뜻대로
거두소서.

…제국에 영광을, 그리고 그대에게 영예를.

저, 아리스티아 피오니아 라 모니크는 모니크 가의 54대 가주가 될 자로서

폐하.

황실과의 오랜 언약을 이행하고자 합니다.

그대, 설마⋯.

제 몸 안에 흐르는 피와 제 몸 안에서 뛰는 심장으로⋯

⋯그만해.

듣지 않겠소.

신탁으로 이름을 부여받은 뒤 몇 날 며칠을 고민한 끝에 간신히 발견해낸 해결책.

그것은 바로 모니크 가의 피의 맹세였다.

이 맹세라면 황가에 거역할 수 없는 몸이 되니 황위 계승권은 더 이상 문제되지 않는다.

맹세의 자격을 얻기 위해 이를 악물며 검술 수련을 했어.

이 생명과
마음을 걸고
당신에게
평생을 바치오니….

듣지 않겠다!!

하지만 닫혀버린
내 마음의 문을
언제부터인가 그가
두드리고 있었다.

알고 싶지
않았어.

이 감정이
무엇인지.

그때 느꼈던 감정들,
빠르게 뛰던 심장이

뭘 말하는 건지.

부디 제 소원을
허락하시옵소서.

두 번 다시 누군가에게
마음을 주지 않기로
다짐했으니까.

이제는
흔들리는 마음을
다잡아야 해.

그것이
그를 위해서도,
나를 위해서도
최선의 방법이니까.

이 맹세만 끝나면
더 이상 귀족파에
놀아날 이유도

암울한 미래를
그리며
괴로워할
필요도 없어.

나의 주군
…이시여.

......

…어디 한번 말해 보시오.

그토록 바라는 소원이 뭔지.

제 소원은

모니크 가의 54대 가주로서 살다가 죽었노라고 사서에 기록되는 것입니다.

…하….

그대 하나만 포기하면 모니크 가의 2대에 걸친 절대적인 충성을 얻어 낼 수 있다니, 몹시 수지맞는 장사로군.

현명한 황제라면 당연히 이 맹세를 받아들이겠지. 안 그런가?

…그렇습니다, 폐하.

그러나 나는 그러지 않겠어.

피의 맹세란 본디 쌍방의 동의가 있어야 성립하는 법.

폐하?

나는 그대의 맹세를 받아들이지 않겠다.

그깟 맹세 따위, 내 이름에 걸고 거부하겠어.

앗…!

웅성

페, 페하!

웅성

웅성

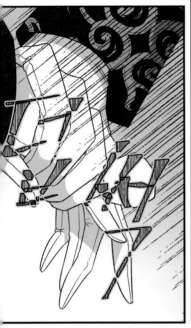

페, 페하.

부디 돌이켜
생각하셔서
제 맹세를 받아…

아리스티아.

만인의 시선조차
신경 쓰지
못할 만큼

누르고 또 눌러도
감추지 못할 만큼…

그대를
연모하고 있어.

이, 이러려던 게
아니었는데.

…미안해.

그대가
바라지 않는 일은
억지로 하지 않겠다고
약속했는데 내가 잠깐
이성을 잃었어.

하지만 방금 전
했던 말은
진심이야.

난 그대를 충성스러운
수하가 아닌,
은애하는 여인으로
곁에 두고 싶어.

정녕 내 곁은
안 되겠어?

후작이 되기보다,
내 하나뿐인 반려로서
함께할 수는
없는 거야?

그대는 항상 날
조급하게 만들어.

한 발 물러서 주면
두 걸음씩 도망가니

놓칠까 두려워
자꾸만 다가가고
이렇게 어리석은 행동을
하게 돼.

시기상조라는 것은
나도 알고 있어.
그대가 날
꺼린다는 것도.

폐하….

다가오라 하지
않을 테니,
제발 도망만
치지 말아줘.

찰나의 연정 때문에
영원한 충성을
저버리려 하시다니,
폐하답지 않으십니다.

그대는 내 마음이
금세 변할 것이라
확신하고
있는 것 같군.

그토록 가벼운 마음이었다면 진작에 부황 폐하나 귀족파의 제안을 받아들였을 거야.

제나 공녀를 맞아들이기만 했다면 쉽게 그대를 황비로 데려올 수 있었을 텐데.

내가 왜 이렇게까지 압박을 받으면서 버티고 있다고 생각하는 거지?

이 모두가 그대의 마음을 얻기 위함이었어.

저벅

저벅

여기 잠시 숨어 있어.

무슨 일인가?
모니크 후작.

아버지?!

오늘 일은
미안하게 됐소.

본의 아니게
많은 이에게
폐를 끼치게 되었군.

딸아이의 성급한 행동을
막아 주셨으니
그것만으로도
감읍할 따름입니다.

글쎄, 그대에게는
다른 수단이
있으니

어차피 맹세를
못 하게 할 수도
있었겠지.

다른 수단이 있다니?

피의 맹세 말고도 이 상황을 타개할 방법이 있단 말이야?

그녀의 행복을 최우선으로 생각하는 후작이니

그녀가 맹세까지 쓸 정도로 의지가 굳은 것을 보고 그것을 사용하고자 마음먹은 것이겠지.

……

그렇습니다, 폐하.

지난번에 무산된 안건에 오늘 일까지 더해졌으니 그 여파가 만만치 않겠지만

온 힘을 다해 그녀를 보호하겠소.

그러니 이 일이 해결될 때까지만 짐에게 시간을 주시오.

…신은 오직 딸아이의 의사에 따를 것입니다.

그 정도면 충분하오. 고맙소.

알렉시스….

알렌디스….

하… 처음부터 알렌디스에게 후계를 넘겼으면 좋았을 것을.

공연히 병약한 아이에게 맡겨 제 목숨을 깎아 먹게 하고

다른 아이는 생사조차 알 수 없으니…

내 죄가 크구나, 참으로 커.

그게 어떻게 자네만의 탓이라 하겠나.

너무 자책 말게, 루스.

사람 일이란 한 치 앞도 살피기 어려운 것을.

그리고 이제 그만 마시게나.

자네가 이렇게 과음하는 건 처음 보는 것 같군.

케이르안, 자네도 마찬가지일세.

놔두게. 오늘은 좀 취하고 싶군.

……

어차피 검술을 가르칠 때부터 예상한 일이 아니었나.

그 아이를 얻었을 때
세상을 다 가진 듯한
기분이었지만

그것이
티아에게도
복이었을까.

내 딸로
태어나지만
않았더라면

갓 성인식을 치른
어린 것이
평생을 충성만을 위해
몸을 던진다 할 일도
없었을 터인데.

죄송해요, 아버지.
행복해지라
하셨는데

어떻게 해야
행복해질 수 있는지
모르겠어요.

이게 최선이라고
생각했는데,
자꾸만 혼란스러워.

웬 편지일까.

!!

그것도
일곱 통씩이나.

이 필체…!

설마 그가
내게 편지를
썼어?

그대가 쓰러진 지
어느새 두 달이라는
시간이 흘렀군.

차도가 없는
부황폐하 곁에
앉아 있노라니 문득
그대가 떠올랐소.

끝까지 미안하다 사과하며
쓰러지던 모습이,
얼마 전 방문했을 때 보았던
창백한 얼굴이
자꾸만 생각나더군.

내가 중독 때문에
의식을 잃고 있던 때
쓴 편지인가?

시간이 흘러갈수록
희망이 점점
사라지는 듯하여
마음이 무척 괴롭소.

미안하오.
내가 황태자가 아니었다면
그대는 이런 일을 겪지
않아도 됐을 텐데.

만일 그랬다면,
그대도 이토록 완강하게
날 거부하지는 않았을까?

하루에도 몇 번씩
그대를 잊으려 해봐도
그럴 수가 없는 것을.

황태자라는 지위 덕에
이렇게나마 그대를 내 곁에
붙들어 놓을 수 있다는
생각도 들지만

알고 있소?
그대가 점점 쇠약해진다는
소식을 들을 때마다
가슴이 바짝바짝
타들어간다는 것을.

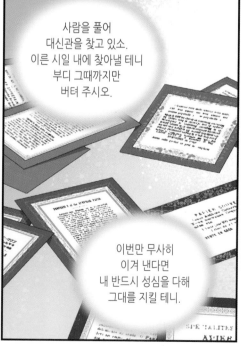

사람을 풀어
대신관을 찾고 있소.
이른 시일 내에 찾아낼 테니
부디 그때까지만
버텨 주시오.

이번만 무사히
이겨 낸다면
내 반드시 성심을 다해
그대를 지킬 테니.

066

그러니 제발 굳건히 이겨 내 주시오. 부탁이오.

루블리스 카말루딘 샤나 카스티나.

이게 정말 그가 쓴 편지란 말이야?

그대는 내 마음이 금세 변할 것이라 확신하고 있는 것 같군.

그를 믿어도 되는 걸까?

이토록 진심 어린 마음까지 보여 줬는데.

…아니. 아무리 그래도 그건 아냐.

다시는 누굴 바라다 마음 다치는 일이 없도록 하겠다 마음먹었잖아.

정신 차리자.

그로부터 며칠 후 대신관이 저택에 찾아와 마지막 축복을 주고 떠났다.

네 번째 대신관의 문제로 해결할 일이 있다고….

별일 없어야 할 텐데 석연치 않은 기분이 드는 건 왜일까?

오늘 해야 할 업무는 뭐지?

아…. 세 개 기사단에 집중되어 있던 인원을 재배치하는 작업입니다.

그럼 일단 갖고 온 서류부터 줘 보겠어?

읽어 볼 테니 그대는 그동안 대강의 개요를 설명해 줘.

네, 폐하.

기사단이 새롭게 편성되는 바람에 행정 업무가 몹시 늘어났다.

폐하께서 관련 서류를 처리하는 동안 업무를 보조할 실무자로

지난 시험 응시자 중 행정에서 가장 고득점을 받은 내가 지목됐다.

덕분에 약 보름 동안 오전에 기사단에서 근무한 후, 오후에는 중앙궁에서 폐하를 보조하게 되었다.

얼굴이 조금 창백해 보이기는 하지만 평소와 다름이 없네.

안심되면서도 섭섭한 건 왜일까.

역시 그에겐 이 정도는 별일이 아니었다는 걸까?

폐하, 제나 공녀가 알현을 청하고 있습니다.

제나 공녀…? 아, 그게 오늘이었던가.

그냥 있어.

…네?

그럼 전 나가 있겠습니다.

황제 폐하께 지은 그라스페 데 제나가 인사 올립니다.

우연히 소노 왕국산 최상급 로즈힙을 구할 기회가 있었답니다.

해서 폐하께 진상하고자 가져왔습니다.

그리고 이건 차와 함께 드시면 좋을 것 같아 가져온 것입니다.

보잘것없는 솜씨이나 폐하를 생각하며 직접 만들어 보았답니다.

제나 공녀가 진상한 것이니 잘 보관하도록 하여라.

네, 폐하.

고맙소, 제나 공녀.

직접 만들었다고?

공녀, 더 할 얘기가 있소?

없다면 오늘 알현을 여기서 마치도록 합시다.

잠시 담소라도 나눴으면 좋겠으나, 업무가 많이 밀려서 말이오.

…네, 폐하. 그럼 이만 물러가겠습니다.

피식

재릿

…하여,
이것이 마지막
안건입니다.

타악

그럼 다시
시작하지.

네, 폐하.

피곤하신 듯하니
간략하게
설명드리겠습니다.

……

…저어…

털썩

폐하…?

폐하!!

당장 대신관을 불러야 해!

안 돼.
정신차리자,
아리스티아.

그러고 보니
조만간 제국을
떠난다 했는데!

만일 그가 벌써
떠나고 없다면
어떻게 하지?

디마르크 경!

당장 수소문하여
대신관을
모셔오세요!

단, 반드시
이 일에 대해
함구하도록 하고.

알겠습니다.

파아아아

쿨럭!

쿨럭!
컥!

폐하! 정신이
드십니까?

국장과
대관식 때문에
그간 무리하셨던
모양입니다.

극심한 과로와
탈수 증상을
보이시더군요.

바쁘시더라도
휴식을 취해 가며
하십시오.

알겠소.

…그대, 어째서
울고 있는 거야.

폐하, 혹 요즘 들어 뭔가 이상한 점을 느낀 적은 없으십니까?

분노와 짜증이 솟구쳤다던가

유독 감정 기복이 심해졌다던가 하는 것 말입니다.

…어째서 그런 걸 묻는 거지?

이 독은 남성분에게는 특별한 영향을 미치지는 않습니다.

다만 장기간에 걸쳐 섭취할 경우, 감정 기복이 심해지기에 원만한 생활을 하기 어려워집니다.

이 모든 것은 특정 독에 중독되었을 때의 증상입니다.

모니크 영애에게 쓰였던 바로 그 독 말입니다.

떠나기 전에 발견하게 되어 참으로 다행입니다.

즉위 초다 보니 폐하의 평판을 떨어뜨리기 위해 벌인 짓이 아닐까 싶습니다.

…일단 따로 얘기가
있을 때까지는
이 일에 대해서
함구해 줄 수 있겠소?

물론입니다.

중독이라니,
어떻게 그럴 수가.

누가 감히
제국의 황제에게
독을 먹였단 말인가?

잠깐, 분노?

그럴 리가 없어.
지나친 억측이야.

머리가 지끈지끈 쑤시는군.

부탁 하나 해도 될까?

하명하십시오.

모니크 가에서 중독 건에 대한 수사권을 갖고 있다는 건 모두가 아는 사실이니

그를 이용해서 궁내부를 조사해 줘.

네, 그리 하겠습니다.

그래, 이안 벨로트.

그리고 보니 과거에 폐하의 와인을 담당했던 자가 있었는데….

현재 그는 내게 독을 먹였던 시녀의 내연남이자, 귀족파와 연계가 의심되는 자야.

만일 현재의 그자가
내 기억 속의 그와
동일인이라면

폐하께
독을 먹인 것 역시
그자의 소행일지도
모르는 일.

아무래도
궁내부를 직접
살펴야겠어.

아리스티아,
늘 고마워.

아닙니다, 폐하.
당연히 해야 할
일이었던 것을요.

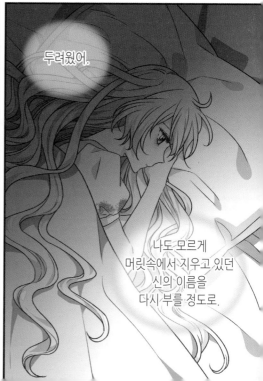

두려웠어.

나도 모르게
머릿속에서 지우고 있던
신의 이름을
다시 부를 정도로.

어째서
그랬던 걸까?

무엇이 두려워
그렇게 떨었던 거지?

기타 상황에 대한
염려 같은 건
전혀 없었어.

그 순간의 내게는
어지러워질
정국이나

그저···

다시는 그를
못 보게 될까 봐···.

이러면
안 되는데.

이러면 안 되는 걸
알고 있는데
두려워져.

그를 잃을까 봐.

내 곁을
영영 떠날까 봐.

어쩐지 오늘은
잠이 오지
않을 것 같아.

쿨럭!

쿨럭…
컥…!

폐하…?!

…아리스
티아…

아냐,
이럴 리가 없어…!
눈을 뜨세요!

폐하!!

신이시여!
당신이 나를 조금이라도
가엾이 여긴다면
이 사람을 살려주소서!

나 당신을 더는
믿지 않겠노라 했지만
이 사람만 살려준다면
무엇이든 할 수 있습니다!

내게 주어진
두 번째 시간을
도로 가져간다 해도
나 달게 받아들일 테니…

제발…!

헉

......

꿈이었구나.

아무리 대신관이
해독해 주었다 해도
그리 쉽게 안심해서는
안 되는 거였어.

배후가 누구인지,
그 규모는 얼마인지
제대로 파악하지
못한 이상

어제와 같은 일은
얼마든지 다시
일어날 수 있어.
시간이 없어.

최대한 빨리,
은밀하게
해결해야 해.

폐하,
이 일을 정녕
기밀로 하실
생각이십니까?

자칫 잘못돼 폐하께서 또다시 해를 입으시기라도 한다면…

걱정 마. 각별히 주의를 기울일 테니.

조속히 이 일을 해결하기 위해서는 어느 정도 위험을 감수해야 하니까.

하지만 폐하…

폐하.

베리타 가의 사자가 급히 뵙기를 청하고 있습니다.

금일 오전, 대공자 알렉시스 데 베리타가 주신의 품으로 돌아갔기에

이를 보고 드리고자 감히 알현을 청하였나이다.

베리타 대공자가?!

대공자는 훌륭한 인재였소.

그를 잃은 것은 제국으로서도 큰 손실이오. 참으로 안타깝군.

황제 폐하, 궂은 날씨에도 친히 왕림해 주시니 실로 가문의 영광입니다.

송구합니다, 폐하.

일리아!

안색이 너무 좋지 않아요, 일리아.

일단 방으로 돌아가 쉬는 것이 좋겠어요.

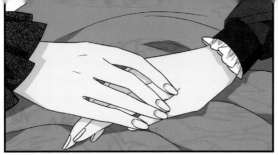

공작 전하…. 뭐라고 위로의 말씀을 드려야 할지 모르겠습니다.

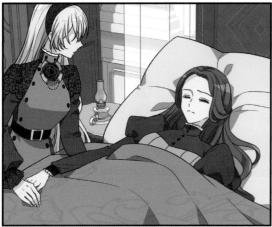

찾아와 줘서 고맙네.

아닙니다. 당연한 일인걸요.

실은 며칠 전 알렌디스가 찾아왔었네.

알렌⋯
디스가요?

알렉이 위독하단
소문을 들었던
모양일세.

며칠 전 불쑥 찾아와
후계자로서
능력 검증을 마친 뒤
제 형의 임종을 지켰지.

지금은요?

언젠가는
돌아올 테니,
그동안 힘 좀
더 쓰라 하더군.

못난 놈
같으니⋯.

그럼 도로
떠났다는
말씀이신가요?

그래. 그간 영애가
녀석의 행방을
찾기 위해 애썼다는
것을 알기에
말해 주는 것이네.

잘 지내고
있는 듯하니
걱정하지 말게나.

⋯무사했구나,
알렌.

다행이다.
정말 다행이야.

그렇게 돌아선 이후로
네 소식을
듣지 못했기에

혹시라도 네가
잘못된 것은 아닐까
걱정했어.

돌아올 거라
믿으면서도…
내가 너에게
너무도 큰 상처를
줘서

혹시 그 일이 네게
좋지 않은 결심을 하게
만든 것은 아닐까 하는
생각이 들었거든.

네가
돌아온다고
했으니까

언젠가는
다시 만날 수
있는 거지?

……

…나는 저들처럼
친인의 죽음을
제대로 애도해 본 적이
없는 것 같아.

황후 폐하에게는 정이 없었고

생모의 죽음은 아는 척조차 하지 못했지.

그리고 부황 폐하는…

지난번 이야기로 조금 응어리가 풀렸을지도 모르겠지만

폐하께 그 일들은 여전히 깊은 상처구나…

폐하의 와인 담당자인 이안 벨로트라면 은식기 검출에 걸리지 않고도 충분히 독을 탈 수 있었을 거야.

시녀라는 접점이 있었으니 독을 구하기도 쉬웠을 테고.

하지만 이것들 역시 추측일 뿐.

그를 범인으로 지목하기에는 근거가 부족해.

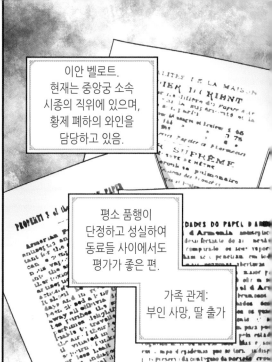

이안 벨로트. 현재는 중앙궁 소속 시종의 직위에 있으며, 황제 폐하의 와인을 담당하고 있음.

평소 품행이 단정하고 성실하여 동료들 사이에서도 평가가 좋은 편.

가족 관계: 부인 사망, 딸 출가

품행이 단정하고 성실한 자가 시녀와 내연관계라고?

황제파인 벨로트 자작 본가와 사이가 좋으면서

귀족파의 끄나풀이었던 시녀와 그런 관계였단 것도 좀 이상해.

게다가 시녀는 라니에르 백작과 접촉한 정황이 여러 번 발견되었지만

이안 벨로트는 그런 접점조차 없어 귀족파와 관련이 있는지 밝혀내기도 어려운 상태라고 했지.

091

뭔가 좀 더
확신을 가질 만한…

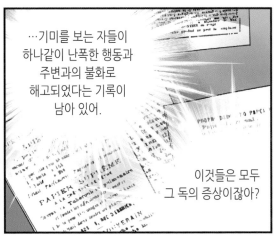

…기미를 보는 자들이
하나같이 난폭한 행동과
주변과의 불화로
해고되었다는 기록이
남아 있어.

이것들은 모두
그 독의 증상이잖아?

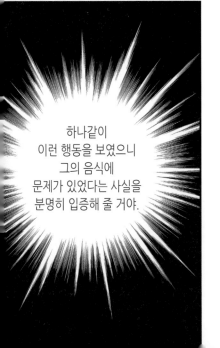

하나같이
이런 행동을 보였으니
그의 음식에
문제가 있었다는 사실을
분명히 입증해 줄 거야.

어서 오십시오,
피오니아 님.

그러잖아도
언제쯤 오실까
기다리고
있었답니다.

죄송합니다.
보내 주신 서신을
늦게 확인하는
바람에….

괜찮습니다.
저도 일정을
조정하느라
조금 바빴거든요.

저 아이가
여섯 번째
대신관이구나.

떠나기로
하셨던 일은
어찌하기로
하셨는지요?

당분간은
운신이 힘들 것 같으니
콰르투스에게
직접 찾아오라고
전갈을 보냈습니다.

다른 대신관이
제국을
방문한다니.

그럼
한시적이라고는 해도
대륙의 대신관 중
절반이 제국에
머무르게 되는 건가?

예하께
드릴 말씀이
있습니다.

실은 얼마 전
독의 입수 경로를
조사하다
이상한 점을
발견했습니다.

통상적인 경로로는
들어올 수가 없는데
아무리 살펴봐도
밀반입은 아니더군요.

그렇다면 대체
어떻게 국경을
넘은 걸까요?

제국에서는
만들 수도 없는
그 독이 말입니다.

신전이라고
말씀하시고
싶은 겁니까?

글쎄요.
어떨 것
같으신가요?

이런, 두 분은
어찌 그리도
닮으셨답니까.

얼마 전에도
이 비슷한 얘기를 듣고
몹시 당혹스러웠는데
말이지요.

누굴
얘기하는 거지?

신전이
연관되었다면
그 사실을 제게
말씀해 주시는 이유가
무엇인지요?

제아무리 떠돌이
신세라고 한들
저 역시
신관인데 말입니다.

아시다시피
폐하께서 관련된
일이 아닙니까.

이대로라면 황권이
신권에 관여하는
사태가 벌어질 터.

무작정
두고만 볼 생각은
아니실 테지요?

흠, 제게 거래를
제안하시는
겁니까?

원하시는 게
무엇인지요?

곧 제국을
방문하신다는
또 다른 대신관 예하의
신성력과 증언을
원합니다.

만일 저나 콰르투스가
받아들이지
않겠다고 한다면
어찌하실 요량입니까?

글쎄요.
주신을 대리하는 태양을
그 가지들이
해하려 했다고 하면
백성들은 과연
어떤 생각을 할까요?

허….
그리 나오신다면야
더 이상 드릴 말씀이
없군요.

대신 피오니아 님도
한 가지 일을
해 주셔야겠습니다.

저를 대신하여
이 일에 연루된 자들을
색출해 주실 수
있겠습니까?

문제의 독과
그 해독제를
한 달 내에
구해주신다면
받아들이겠습니다.

끝까지 저를
곤란하게
하시는군요.

좋습니다.
그리하지요.

콰르투스가
제국에 방문하게 된 것이
피오니아 님께는
호재가 되었군요.

콰르투스
이 녀석.

아직 갓난아기인
섹스투스를
돌보느라 저 역시
제대로 활동하지
못하고 있는데

하필 이럴 때
소원을 빌겠다고
억지를 부리고
있으니.

너무한
녀석이지요.

소원… 이요?

아, 이런.

대신관에게는
한 가지 비밀이
있습니다.

평생에 단 한 번
자신이 바라는 소원을
빌 수 있다는 것이죠.

어차피 피오니아 님께는
알려 드리려고 했으니
이번 기회에
말씀드리겠습니다.

그 이유는 바로
소원의 대가가
신성력이기
때문입니다.

즉 자신의
모든 것이라 할 수 있는
신성력을 걸고
한 가지 소원을
성취하는 것이지요.

흠, 그리고 보니
모니크 가의 맹세와
비슷한 면이 있군요.

…?

무슨 뜻이지?

이안 벨로트의
딸이 한 결혼이
정상적인 것이
아닌 것 같다고요?

설마 결혼을 빌미로
감금이라도
했단 소리인가요?

그렇습니다.
아무래도 위험 부담이
높은 일이니만큼
인질을 잡아 안전을
도모하려 했던 것
같습니다.

그럼, 이안 벨로트는
딸을 인질로 잡혀
이용당했다는 건가?

만약 남작이
가져온 정보가
사실이라면

당장
이안 벨로트의 딸을
구출하는 것은
위험해.

중요한 인질인 그녀가
사라진다면
범인은 필시 누군가가
자신들의 음모를 눈치챘음을
알게 될 거야.

그리고
제나 공작 후계자가
밀서를 보내왔습니다.

공작 후계자가
바라는 건
세 가지.

현 공작이
작위를 비롯한
모든 권한을 내놓고
물러나도록 해줄 것.

자신이 작위를
승계하도록
도울 것.

그리고 제나 가의
자산 및 지위를
현재의 칠 할 이상
수준으로 보장해 줄 것.

하지만 폐하께서
중독되는 사건이 벌어졌고
그 배후에 제나 가가 있음이
의심되는 이상

무턱대고
공작와의 거래를
진행할 수는 없어.

그가 이 일에
개입했는지
시험해볼
필요가 있겠어.

그에게 '지금 내가
바라는 것은
오직 하나'라고
전해주세요.

그리하겠습니다.

소개하겠습니다,
피오니아 님.

이 녀석이 바로
주신의 네 번째 뿌리,
콰르투스입니다.

생명의 축복이
함께하시기를.

만나 뵙게 되어
영광입니다.
신탁의 아이이시여.

신관의 머리색이
백발이 아니라
놀라셨죠?

백발은
노인처럼 보인다며
굳이 염색을 하고
다니더군요.

101

세쿤두스에게서 대강 이야기는 들었습니다. 신성력과 증언이 필요하다고요?

조건이 있습니다.

저는 세쿤두스와는 다릅니다.

제가 원하는 건 오직 한 가지, 돈입니다.

돈이요?

그렇습니다. 이 얼마나 위대한 가치입니까!

솔직히 신앙이 밥 먹여 줍니까?

충성, 명예, 품위, 그딴 것들이 무슨 소용이냐고요?

세상에서 가장
중요한 것은
돈입니다!

돈이 있기에
사람들은
맛있는 것을 먹고
따뜻한 옷을 입으며,
편안한 잠자리를
영위할 수 있는 겁니다!

추태를 보여 드려
송구합니다.

콰르투스가
오래전부터 고아들을
후원하고 있는데

왕국들 사이에서
벌어진 이번 국지전으로
전쟁고아가 늘어나면서
재정적으로 많이
어려워진 모양입니다.

아아, 그렇군요.
그거라면
어렵지 않습니다.

바로 지원해
드리도록
하지요.

좋습니다!
그럼 더 바랄 게
없지요!

그리고 일전에 부탁하신 물품은 아직 구하지 못했습니다만

조제할 수 있는 자를 추적 중이라고 하니 조만간 입수할 수 있을 겁니다.

알겠습니다.

그리고 이것은 부탁하신 사항의 1차 조사본입니다.

…감사합니다. 큰 도움이 되었습니다.

과연 최후의 승자는 누가 될 것인가.

지은이잖아?

지은도 신전에
볼일이 있었나?

어라?
이 장미…

분명히 아까는
시들어 있었던 것
같은데.

잘못 봤나?

이걸 한번
보겠어?

이 논의가 다시 필요할 때를 위해 그대도 봐두는 게 좋을 것 같아서.

네, 폐하.

모니크 가에 공동수사권을 주었던 라니에르 백작 일에 대해 재상이 올린 보고서야.

PROPERTY of the ARMENIAN PAPER

Armenian Paper is a powerful antiseptic to the air n rival product can compared t its average in its vap ours gr and penetrate ste the smallest plate it is not ther to enclose f c e e e as m it actise ical r employ exian i the It should be used n damp f ty days and it re-use which have been closed a h se time it drives

모니크 영애 중독 사건에 대한 수사 도중 관련자 하나가 자수하며 미르와 후작을 배후로 지목함.

이후 미르와 후작을 조사하였으나 사건과 관련되었다는 명백한 증거를 찾을 수 없었음.

이하 이 사건에 연루된 것으로 파악되는 자: 하멜 백작, 라니에르 백작, 레슬렝 백작, 홀텐 백작(증거 불충분)

라니에르 백작에 이어 이번에는 미르와 후작인가?

제나 공작,
대체 어디까지
꼬리 자르기를
하려는 거지.

재상 쪽 조사관들도
제나 공작에게
심증을 두고 수사하던
와중에
미르와 후작이라는
뜻밖의 인물이 지목되어
당황했을 것이고

그를 아무리 조사해도
별다른 것이 나오지 않아
혼란스러웠겠지.

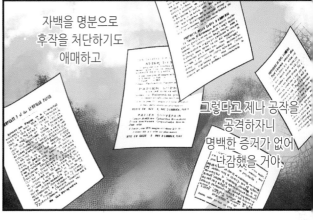

자백을 명분으로
후작을 처단하기도
애매하고

그렇다고 제나 공작을
공격하자니
명백한 증거가 없어
난감했을 거야.

하지만
이제는 달라.

범인은 폐하까지
해치려 했으니까.

폐하.
프린시아 데 라스가
알현을 청하고
있습니다.

라스 부인?

잠시만 자리를
비켜주겠어?

...?
네, 폐하.

아차, 하필이면
기밀 문서를
두고 나왔잖아?

아기…!

그러고 보니 얼마 전 프린시아가 아이를 낳았단 소식을 들었어.

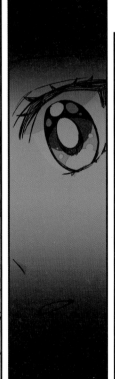

왜 이리 가슴이 아픈 거지?

왜 이렇게 씁쓸한 기분이 드는 거야?

그렇구나.

아이를 가질 수 없을지도 모르는 나는 그를 저리 따스히 미소 짓게 할 수 없어서야.

과거, 아이를 가졌다는 사실을 알게 되었을 때

돌아서 있는 그의 마음이 뱃속의 아이로 말미암아 내게 와주길 간절히 기도했었지.

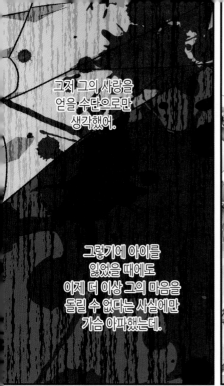

그저 그의 사랑을
얻을 수단으로만
생각했어.

그렇기에 아이를
잃었을 때에도
이제 더 이상 그의 마음을
돌릴 수 없다는 사실에만
가슴 아파했는데.

그 아이가 무사히
태어났더라면

그래서 내 품에
안아 보았더라면
어땠을까?

나도
프린시아처럼
행복하게 웃을 수
있었을까?

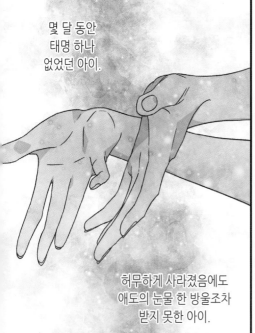

몇 달 동안
태명 하나
없었던 아이.

허무하게 사라졌음에도
애도의 눈물 한 방울조차
받지 못한 아이.

아, 그래.
난 그리도
잔인한 여자였다.

아이를 그리
매정하게 보낸 것도
모자라서

또다시 불임이
되었다는 사실에도
슬픔보다 모멸감에
사무쳤을 만큼.

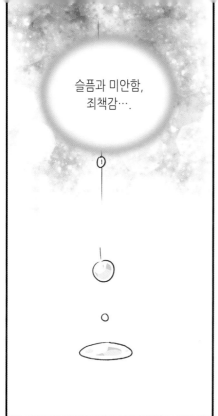

슬픔과 미안함,
죄책감….

내 몸이 이렇지
않았더라면

만약에 내가
그의 마음을
받아들일 수
있었다면 어땠을까?

아리스티아!

송구합… 니다,
폐하.

불민한
모습을

보여 드려…

흡,

그때도 이랬다면
얼마나 좋았을까.

그랬다면 지금처럼
간간이 떠오르는
과거의 잔상 때문에
고생할 일도

끝없이 거부해서
그에게 상처를 줄 일도
없었을 텐데.

정말 그랬다면
마음 놓고 그를 사랑하며
잃어버린 아이에게도
애정을 퍼부어 줄 수
있었을 텐데.

…모두가
행복할 수
있었을 텐데.

아리스티아.

나는…
그대가 아이를
낳지 못한다 해도
상관없어.

그대와
함께할 수만 있다면
아이는 없어도 좋아.

그러니….

…송구합니다,
폐하.

이만 물러나
보겠습니다.

잡으면 안 될까.

내게 내민 저 손을
모르는 척
붙잡으면 안 될까?

아리스티아….

눈 감고 귀 막은 채 따뜻한 상상 속에 취하면 안 될까?

아리스티아.

나와 함께 어디 좀 가 줄 수 있겠어?

......

여기가 어디인가요, 폐하?

시끌
시끌

쉿, 누가 듣겠어.

아….

어때? 마음에 들어?

경치가 참 아름답습니다.

황궁에서는 어딜 가도 그대에게 내가 황제임을 일깨워 줄 뿐이니 그런 제약에서 벗어나 보고 싶었어.

한 번쯤은 그대가
그런 굴레에서 벗어나
나 자신만을
봐 줬으면 좋겠다고
생각했거든.

폐하….

바, 방금….

이건 다
저 풍경 탓이야.

푸른 달빛의
마력에 취한 탓인 거야.

그러니 오늘만큼은
솔직해지자.

어떻게
돌아왔는지도
모르겠어.

아리스티아,
미리 예단하여
절망하지
말았으면 해.

120

대신관도 황궁의도
몇 번이고 희망을
잃지 말라 했잖아.

만일 그대가
아이를 가질 수 없다는
생각 때문에
나와 거리를 두고
있는 거라면…

나는 그대가 아이를
낳을 수 없는
몸이라 해도 상관없어.

후계를 걱정하는
것이라면
그러지 않아도 돼.

그대만 좋다면 나는
내 피를 이은 아이가
아니라 하더라도
받아들일 수 있으니.

한순간의 감정에
취해 하는 얘기라
생각하지 말아 줘.
이것은 내 진심이야.

그대가 나를
거부하는 이유가
진정 그것이라면
부디 재고해 주기를
부탁할게.

맙소사….
황제가 자신의 피를 이은
후계자를 포기하다니!

하지만
안 돼.

내가 흔들릴수록
서로의 상처만
더 커지게 돼.

실현 가능성이 거의
없는 이야기임을
알면서도

저리 위험한 말을 할 만큼
나를 아낀다는 사실에
솔직히 기뻐.

다음에
그를 만나면
받아들일 수 없다
해야지.

있을 수 없는
일이라
말해야지.

…그렇지만
오늘 밤만큼은
기뻐하면 안 될까?

사랑받고 있다는 사실에
행복해하면 안 될까?

이 눈물이 마르면
내일은 평소의 나로
돌아가자.

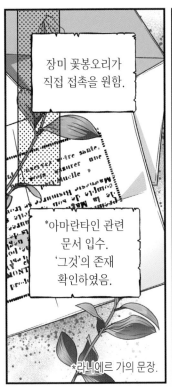

장미 꽃봉오리가
직접 접촉을 원함.

*아마란타인 관련
문서 입수.
'그것'의 존재
확인하였음.

*라니에르 가의 문장.

포에나 관련
협력자 발견,
추후 행동 지시 요망.

포도 열매가
거처를 옮긴다는
소문이 있음.
추후 행동 지시 요망.

그토록 찾아 헤매던
비밀문서를
드디어 입수했군.

게다가 '그것'의 존재를
확인했다고 하니
이제는 그것과 제나 가의
연관성만 밝히면 돼.

당장 구출하기는 어려워.

그녀를 데려오는 순간 우리의 정체가 드러날 것은 불 보듯 뻔한 일이니까.

되도록 모든 일이 준비된 후에 이루어져야 해.

쳉—

팡그그그

큭…!

제가 기사라는 사실을 간과하신 모양입니다.

이런 허술한 행동이라니요.

큭… 네 이년!

쓸데없는 위협은
그만두시고
이제 제대로
협상에 임해 보심이
어떻습니까?

아니면 정녕
거래를 하실 마음이
없는 겁니까?

보관 장소라…
조금 부족한 듯하지만
일단 들어
보겠습니다.

…보관
장소.

그 이상은
알려 줄 수가 없다.

바라는 것이
방패와 검,
그리고 장미가 새겨진
인장이라고 했나?

맞습니다.

그것만 손에
넣을 수 있다면

얼마 전에 입수한
라니에르 백작의 문서와,
일전 아피누 백작에게서
전달받은 문서를 통해

제나 공작의 죄상을
입증할 수 있을 테지.

지금은 추측뿐이지만
그리될 경우 폐하를
중독시킨 죄를
함께 물을 수도 있고.

물론 단순한
귀족상해죄가 아닌
반역죄를
묻는 것이니만큼
쉽지는 않겠지만.

이미 확보한
대신관의 증언과
이안 벨로르를 비롯한
다른 궁내부원들의 증언,

또 다른 증거들을
합친다면
불가능할 것도 없어.

그간 온 집안을
샅샅이 뒤져 보았지만
그런 것은 찾지 못했다.

그 인장이 정말
본가에 존재한다면
있을 만한 장소는
단 한 군데다.

가주만이
들어갈 수 있는
비밀 금고 말이다.

그 금고의 위치는
어딘가요?

금고의 위치를
알려 주면
내 조건을
받아들일 건가?

조금 손해
보는 것 같지만…
뭐, 좋습니다.
그리하지요.

좋다. 금고는
서재에 있다.

왼쪽에서
두 번째 책장.

보라색 책을
뽑으면 나오지.

한 가지만
경고하지.

위치를 알았다 하여
섣불리 침입할
생각 하지 마라.

본가의 저력을
우습게 본 대가를
치르게 될 테니.

그야 겪어 보면
될 일이지요.

서둘러야 해.
이제는
시간이 별로 없어.

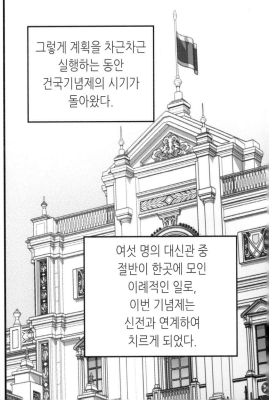

그렇게 계획을 차근차근
실행하는 동안
건국기념제의 시기가
돌아왔다.

여섯 명의 대신관 중
절반이 한곳에 모인
이례적인 일로,
이번 기념제는
신전과 연계하여
치르게 되었다.

새 황제의 대관식 이후
처음으로 맞이하는 축제에서
안주인 역할을 한다면
사람들이 나를 차기 황후로
여길 것이 분명했지만…
거절하면 제나 공작의 주도대로
일이 추진될지도 모르고

하지만
원래 주최였던
라스 공작부인은
몸이 좋지 않고

며느리인 루아 왕녀는
산후조리를 하느라
상황이 여의치 않은 탓에

그 다음으로
주최의 자격을 가진
내게 기대가 쏠렸다.

폐하의 섭섭해하시는
얼굴을 보니
차마 거절하기도
어려워서
수락하고 말았다.

그나마 귀족파에서
지은을 추천하여 둘이서
공동주최하는 것으로
정해졌다.

신전과 연계하여
치르는 기념제
이지 않습니까!

신탁의 아이인
제나 공녀가
이번 행사를
도와야 합니다!

폐하,
언제쯤 이 일을
처리할 요량이십니까?

128

정화 주문을 계속해서 쓰고 있다고는 해도 장기간 독에 노출되는 건 위험합니다.

기념제가 끝날 때까지는 버텨야 하니 조금만 더 기다려 주시오.

이번에는 지난번보다 많은 양의 독을 투입한 게 분명합니다. 주의하셔야 합니다.

저들도 슬슬 의심을 시작했다는 얘기겠지.

그간 저는 독이 어떤 경로로 투입되고 있는지를 조사했고

그 결과 기미를 보던 궁내부원들이 중독 증상을 보였다는 사실을 알게 되었습니다.

그들 역시 중독되었다는 사실을 공식적인 자리에서 확인해 드리면 된다는 얘기군요?

그렇습니다. 신성력을 걸고 하는 확언만큼 효과적인 증언은 없으니까요.

129

그럼, 기념제가
끝나는 즉시
이안 벨로트의 딸을
구출한 뒤 곧바로
일을 시작하지.

이상해. 분명
잘 풀리고
있는 것 같은데

이번 일을
파헤칠수록
알 수 없는 그림자가
어른거리는 듯한
느낌이 들어….

아리스티아.

곧 있을
건국기념제 준비로
무척 바쁠 테니
이제 이 일은
그만둬도 좋아.

…네, 그리
하겠습니다.

단 일주일에 한 번은
직접 찾아와
진척 상황을
보고하도록 해.

아, 물론 그대를 못 믿어서 하는 말은 아니고

네?

그저 신전과의 문제도 있고 하니 알아둘 필요가 있을 것 같아서 말이야.

아… 네, 폐하. 그리하겠습니다.

?

크흠

…괜찮다면 잠시 나와 걷지 않겠어?

꽃이….

꺼질 듯 위태로우면서도 결국은 꿋꿋하게 이겨 내는 것하며

보여 줄 듯 말 듯 고집스럽게 닫힌 모습까지도.

보면 볼수록 저 꽃은 그대를 닮았다는 생각이 들어.

저 꽃봉오리가 꽃으로 활짝 피어날 때쯤이면…

그대도 내게 마음을 열어 줄까?

언제부터 이렇게 된 것일까?

마지막 숨을
내쉬는 순간 두 번 다시
사랑하지 않겠노라며
그리도 다짐하고 또
다짐했는데

그와 나는
안 된다는 것을

어째서 나는 그에게
또다시 마음을
열고 만 것일까.

그러니 결국 상처밖에
남지 않는다는 것을
알고 있는데…

하지만 그럼에도

나는 그를….

챙

챙

채앵

카르세인?

갑자기
웬 대련이야?

그것도
일대다로?

어, 그냥
좀 답답해서.

그럼 나랑도
한판 할래?
나도 답답해서
나왔거든.

너는 왜,
뭐 안 좋은
일이라도 있냐?

꼬맹이 주제에 고민은.

팔랑

그런 건 너랑 안 어울리거든?

넌 그냥 눈치 없고 둔한 게 딱이야.

뭐….

그러니까 변하지 마라, 꼬맹아.

너 말이야, 요새 바쁘다고 나한테 너무 소홀한 거 아니냐?

인사는커녕 내내 집무실에 처박혀 있질 않나

편지 한 통을 보내기를 하나

하다못해 기사단에서조차 안 보이더만?

바빠도 서로 인사는 하면서 살자, 응?

자꾸 그러면 아무리 나라도 상처 받는다고.

응, 알았어. 정말 미안해.

그래?

그럼 대신 건국제 끝나고 이틀 정도만 시간 비워 주라.

알았어, 그렇게.

좋아, 그럼
약속 한 거다?

나중에 보자.
일 열심히 하고.

얼마 후 대신관을
만났을 때

다시 한 번
거래의 내용을 확인한 뒤
최고위 신관들의
비리 내역을 넘겨주었다.

당시 대신관의
표정으로 보아
근시일 내에 문제가
터져 나오기 시작할 터.

그리 되면 최고위 신관들은
제 살길을 찾느라 바빠
더는 황실의 행사에
관여하지 못하게 될 거야.

결국 내 안건으로 통과됐잖아.

지은의 의견도 괜찮기는 했지만 지나치게 귀족적이지 못한 게 탈이야.

그들의 힘을 등에 업지 못하는 제나 공작과 귀족파 역시 별다른 힘을 쓰지 못할 테고.

그럼 건국제에 쓸 궁내부의 예산은 이걸로 확정 짓도록 하고, 다음 안건으로 넘어가겠습니다.

…왠지 안쓰럽네.

이번 건국기념제에서 폐하의 파트너 문제는 어찌 되는 것입니까.

지난번처럼 공녀와 모니크 영애가 번갈아가며 맡을 것인지요?

무슨 소리요. 당연히 모니크 영애께서 사흘 모두 하셔야지요.

모니크 영애는 양 계파 모두가 만장일치로 입후를 주청드린 분이 아니오?

더욱이 아직 파혼 사실이 공식 문서에 기록되지 않은 이상

뭐라고?

울찔

모니크 영애는 대외적으로 폐하의 약혼녀임을 잊어서는 안 됩니다.

그게 언제 적 일인데!

그와 엮이지 않겠노라고 몇 번이고 다짐해 왔는데

그나마 파혼을 했으니 다행이라 생각한 것도 여러 번이었는데.

알고 보니 아직도 공식적으로는 약혼 상태였다니

내 의견을 존중해 주겠다고 한 말이 전부 거짓이었어!

그런데…

말도 안 돼.

설마
기뻐한 거야,
나?

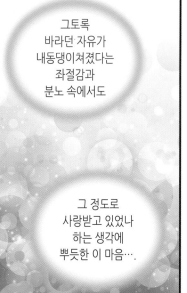

그토록
바라던 자유가
내동댕이쳐졌다는
좌절감과
분노 속에서도

그 정도로
사랑받고 있었나
하는 생각에
뿌듯한 이 마음…

이 얼마나
모순된 감정이고
소름끼치는 생각이야!

미안해.

하지만
그대를 기만하려
한 것은 아니었어.

…놓아 주려
했어.

억지로 곁에 두었다가
상처만 더 입을까 걱정돼
하루에도 몇 번씩
마음을 접고자 애썼어.

하지만 막상
공식 문서에
기록하려 하니
도저히
그럴 수 없었어.

그대와의 인연이
완전히
끊어지는 거 같아
차일피일
미루다 보니…

아시잖습니까. 저는 폐하의 곁에 설 자격이 없는 여자입니다.

아니면 주변 환경 때문에 거부하는 건가.

…어떤 이유이건 무슨 상관이 있겠습니까.

난 그대 앞에서 황제이기 이전에 한 남자이고 싶으니까.

…폐하.

내게는 정녕 일말의 여지조차 없는 거야?

대답해 줘, 아리스티아.

정치적 상황, 신분, 그 밖에 모든 걸 떠나 오로지 한 여자로서

그대는 한 남자로서의 나를 어떻게 생각하고 있지?

나를 원치 않는다고 말하면서 그대의 눈은 그것이 전부가 아니라 말하고 있어.

그 눈빛의 의미가 궁금해 다가가면 또다시 밀어내곤 하지.

폐하께서는 과거가 아니라 앞으로의 미래를 걸어나가야 하는 분이십니다.

그러니 과거에 불과한 저는 이만 놓아 주십시오.

그대는… 정말 잔인해.

이유를 말해 달라 수없이 부탁해도 절대 답하지 않아.

그대도 내게 어느 정도 마음이 있다 생각했는데, 내 착각이었던 건가?

아니면 그 마음조차 거두어야 할 정도로 그대가 숨기고 있는 사실이 큰 거야?

그에게 회귀 전의 이야기들을 털어놓아도 되는 걸까?

사실대로 이야기한다 한들 과연 믿어 줄까?

그토록 나를
각별히 생각해줬던
알렌디스조차
믿지 못했는데.

그대가
상처 입지 않도록
내가 다 막고
보호해 준다 해도
안 되겠어?

가뜩이나
여러 가지 일로
힘겨울 그에게
굳이 상처 하나를
더할 필요가 있을까?

송구합니다, 폐하.
이것밖에는
드릴 말씀이
없습니다.

그대는 내가
다른 사람을 곁에 두고
살아가는 걸
볼 수 있어?

그대가 아닌
다른 여인을 황후라
일컫으며,
그녀와 함께 평생을
살아가는 모습을.

세월 아래
무뎌지지 않는 것은
없다 하였습니다.

…결국, 그것이
그대의 뜻이로군.

좋아.
그대가 원하는 대로
해 주겠어.

원치 않는 사람을
억지로 붙들어 두어
미안했어.

안심해도 좋아.
내 두 번 다시 이 일로
그대를 귀찮게 하지
않을 테니.

그래.
이걸로 된 거야.

때가 되어도
달이 뜨지 않으매

세상이 어둠에
감싸였도다.

건국기념제 때마다
늘 하는 궁정극.

본디 궁정극에서는 신께서 그를 위해 내려준 고귀한 반려이자 신탁의 아이로 내가 등장하지만

올해부터는 귀족파의 반발로 인해 지은도 신탁의 아이로 등장하도록 극의 내용이 변경됐다.

영광된 제국의 주인이자 오직 하나뿐인 태양이시여.

태양의 오직 한 분뿐인 반려, 고귀한 달께 작은 성의를 바치고 싶습니다.

부디 소인의 정성을 가납하여 주십시오.

선택하라는 건가? 지금 이 자리에서?

……가납한다.

허면 어느 분께 드리오리까?

짐에게 다오.

달이 태양 옆에
온전히 뜨는 날,
짐의 손으로
직접 씌워 줄 터이니.

황공하옵니다,
폐하.

위대하신
황제 폐하께
그리고 고귀하신
미래의 달께
무궁한 영광이
있으시기를.

황제 폐하
만세!

제국에
영광 있으라!

와아아!

나 '신탁의 아이'이자
주신의 축복을 입은
지은 그라스페 데 제나가

생명의 아버지,
주신 비타의 은총을
찬미할지어다.

여기 선
모든 이에게
아버지의 사랑을
전하노라.

이럴 수가!

언젠가 신전을
방문했던 때

분명 오전에는
시들어 가던 장미가
저녁에는 다시
피어 있었지!

그게 지은이 한
일이었나?!!

웅성

성녀다!

웅성

성녀님이
등장하셨다!

황제 폐하
만세!

와아아아

성녀님
만세!

제국에
영광 있으라!

당했다.
그것도
아주 제대로.

오늘 일로 지은은
제국민들의 뇌리에
성녀로 확고히
자리 잡겠지.

신탁의 아이라는
명분에 이어 민심까지
등에 업은 그녀를

과연 황제파에서
제대로
견제할 수 있을까?

151

왜 이러는 걸까.

하….

스스로 싫다고
던져 버린
자리였는데.

세월이 지나면
잊히지 않는 것은 없노라
당당하게 말했던 사람은
바로 나인데.

앗!

리사 왕국
3왕자잖아?
뭐야? 저
무례한 태도는.

흑

욱

?!

베아트리샤…?!

이게 무슨….

꺄악!

누, 누구 없어요?

…조용히! 소란 피우지 말고 당장 가서 황궁의를 데려오도록.

제2기사단의 페덴 경과 궁내부장, 그리고 폐하를 모셔오도록 해라.

…네, 네!

베아트리샤!

내 말
들려요?

아기,
내 아기가…

조금만 더
힘을 내요,
베아트리샤.

이게 어찌 된
일이지?

제나 공녀,
공녀의 신성력을
잠시 빌려야겠소.

…아, 네.
폐하.

왜 저러지? 좀 전에 잘만 썼잖아.

뭐가 잘 안 되는 건가?

지은이 가진 신성력은 불완전한 것이라 들은 적이 있는데….

혹시 하루에 쓸 수 있는 양이 정해져 있다거나 성공률이 낮은 거야?

부르셨습니까, 폐하!!

어, 저 사람은…?

회귀 전에 날 진찰했던 황궁의…

화들짝

헛, 모, 모니크 영애!

왜 저러지?

하혈이 심해
유산이라
생각하였으나,
다행히 아이는
무사한 것 같습니다.

남작부인은
좀 어떠한가?

다만 아이와
부인 모두 기력을
몹시 소모한 터라
출산까지는 각별히 주의를
기울여야 할 것으로
사료됩니다.

그런가,
수고했군.

다행이야.
그러잖아도
아픔이 많을 텐데.

그녀에게 또다시
커다란 상처가
더해지지 않아서.

피를 보고
일순

회귀 전에
유산했던 일이
떠올라서
당황했지만…

그대도
수고 많았소.

이만
나가 보아도
좋소.

네, 네.
폐하….

저, 모니크 영애.
안색이 썩
좋지 않으신데

괜찮으시다면
제가 한번
살펴 드려도
되겠습니까?

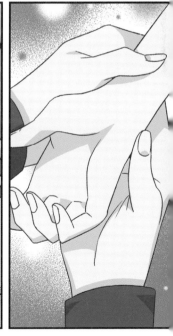

그건 대신관의
축복 때문이
아니었나?

영애가 당한 독은
아기집을 서서히
마르게 하는 것과

그 독을 크게
증폭시킨 것
두 가지라
들었사온데

그리 심하게
중독이 되었음에도
어찌해서
목숨을 잃지 않았는지
의문이었습니다.

사건 당시
영애가 하였다는
달거리는

아마도
계속해서 쌓이는
독 때문에 견디지 못한
아기집에서 흘러내린
혈흔일 것입니다.

그와 함께 독이
일부 빠져나간 덕분에
목숨을 건지게 된
것일 테고 말입니다.

제 진단이 맞다면
아마 두어 달 내로
달거리를 다시
시작하실 것입니다.

즉, 아이를
가질 수도 있다는
이야기지요.

내가 아이를 가질 수 있다고?

소리조차 내지 못하고 속으로만 떠올렸던 그 상상이…

그저 이룰 수 없는 바람이 아닌 거야?!

바보 같아.

그리 매달려도 싫다고 밀어냈으면서, 고작 등 한번 보여 줬다고 속상해 하다니.

모두 당분간은
이 사실에 대해
함구하도록 하라.

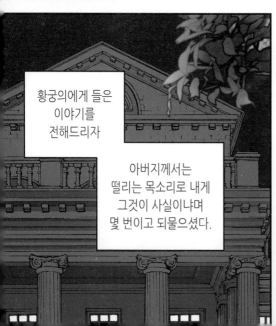

황궁의에게 들은
이야기를
전해드리자

아버지께서는
떨리는 목소리로 내게
그것이 사실이냐며
몇 번이고 되물으셨다.

그러고는 말없이
나를 끌어안고는
한참 동안 머리카락을
쓸어 주셨다.

그토록
한 맺혔던 일이
해결되었는데.

왜 이렇게 가슴이
답답하기만 한 거지?

어째서 이리
울고 싶은 기분이
드는 걸까?

마음을 추스를 새도 없이
기념제 연회가 끝난
바로 다음 날
정무 회의가 열렸다.

매우 이례적인 일이었지만,
백작가 이상의 모든 가문은
반드시 참석하라는
황명이었다.

사흘 전 휴게실에서
휴식을 취하고 있던
베아트리샤는
그녀를 쫓아온
리사 왕국의 제3 왕자와
맞닥뜨리게 되었고

페덴 경과의 일로
말다툼을 벌이다
그만 그런 일을
당한 것이라고 했다.

이미 제국의
귀족이 된 그녀에게
타국의 왕자가
상해를 입힌 것은
결코 묵과할 수
없는 일이었다.

때문에
영지에 사정이 있어
참석하지 못한
미르와 후작을 제외한
모든 귀족들이 모여
리사 왕국에 대한
처결 문제를 논의했고,

리사 왕국의 왕세자와
백작가 이상 가문의
후계자들을 볼모 삼아
제국에 유학을
오도록 하는 제안으로
일단락되었다.

이리 환대해 주시니
감사드립니다, 폐하.

두 분 덕에
올해 건국제를
성황리에
끝마칠 수 있었소.

내 진심으로
감사의 뜻을
표하는 바요.

식사도
끝나고 했으니…

들여라.

저들은
검사관이 아니오?

어째서 저들이
이곳에
나타난 거지?

얼마 전 짐이
갑작스레 쓰러졌던
적이 있었소.

당시에는 다소
과로한 탓이라 여겨
가벼이 넘어갔으나
생각하면 할수록
이상하더군.

본디 강건한
체질이라 여겼거늘
고작 그만한 일을 했다고
쓰러지기까지 하다니.

해서
요 며칠 곰곰이
생각해 본 결과

짐의 상태가 마치
중독된 것 같다는
생각이 들었소.

자, 제나 공작. 당신은 이제 어떻게 할 거지?

대신관은 폐하와 내가 중독된 독과 그 해독제를 입수했어.

중독이라뇨! 누가 감히 폐하께 그런 짓을 할 수가 있단 말입니까!

그래서 오늘 그대들이 보는 앞에서 독 검출 조사를 해 볼까 하오.

그리고 오늘 이 자리에서 공개적으로 밝히기 위해, 저 접시에는 반드시 독이 검출되도록 손을 써뒀다.

며칠 전 사람을 통해 제나 가의 비밀 금고에 잠입해 인장을 손에 넣었음에도 공작이 이 일을 사주했다는 명백한 증거는 찾아낼 수 없었지만….

잘만 하면 그에게 죄를 물을 수 있을 거야.

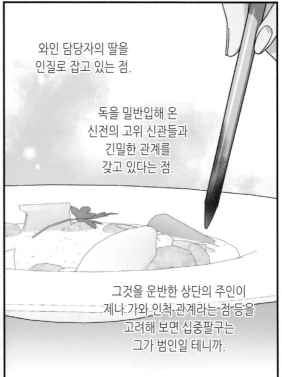

와인 담당자의 딸을 인질로 잡고 있는 점.

독을 밀반입해 온 신전의 고위 신관들과 긴밀한 관계를 갖고 있다는 점.

그것을 운반한 상단의 주인이 제나 가와 인척 관계라는 점 등을 고려해 보면 십중팔구는 그가 범인일 테니까.

폐하, 아뢰옵기 송구하나 독이 검출되었습니다.

도, 독!

독이 확실합니다.

이것은 주신의 네 번째 뿌리로서 이름받은 저 콰르투스의 신성력을 걸고 말씀드릴 수 있습니다.

더불어 폐하께서는 현재 중독되신 상태라는 것을 저 세쿤두스의 신령력을 걸고 말씀드리는 바입니다.

감히 짐을 해하려 했던 자가 있단 말이지.

이 시간부로 모든 귀족들의 자택 근신을 명한다.

또한 내일 이 시간에 대회의를 소집할 것이니, 수도 내에 있는 모든 귀족들은 반드시 참석하도록 하라.

드디어
시작된 건가.
그토록
기다려 왔던 시간이.

폐하를 시해하려 했던
사건에서 발견된 독이
내가 중독된 독과
같은 것임이 밝혀졌다.

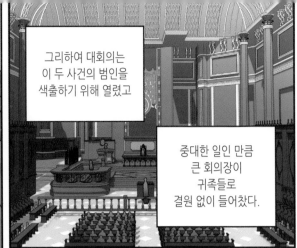

그리하여 대회의는
이 두 사건의 범인을
색출하기 위해 열렸고

중대한 일인 만큼
큰 회의장이
귀족들로
결원 없이 들어찼다.

베리타 공작의
회의 문서에 따르면
내 시중을 들던 시녀의
죽음으로 캐낼 수 없던
배후를 다른 곳에서
찾게 되었다 한다.

그것은 바로 연회장에서
내게 독이 든 음료수를
건넨 시종이었다.

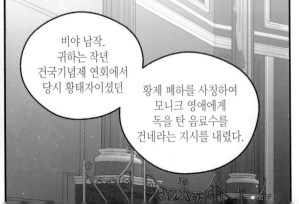

비야 남작.
귀하는 작년
건국기념제 연회에서
당시 황태자이셨던
황제 폐하를 사칭하여
모니크 영애에게
독을 탄 음료수를
건네라는 지시를 내렸다.

166

이를 인정하는가?

…인정합니다.

그는 에넨 남작, 소이 남작, 케트 자작과 함께 일을 도모했으며

그 모두를 라니에르 백작의 지시를 받아서 했다고 진술했다.

라니에르 백작이 귀하에게 이번 일 외에 더 지시한 사항이 있는가?

만일을 대비해 시종을 두엇 더 매수하라 하였고, 모니크 영애가 쓰러지고 난 뒤 모두 죽였습니다.

현재 궁에 남아 있는 자는 없습니다.

귀하가 매수한 시종은 아직 살아 있는 것이 분명하다.

그러니 감히 황제 폐하의 잔에 독을 넣을 수 있었겠지.

화, 화, 황제 폐하라니요?

그럴 리가 없습니다!

비야 남작, 그대는 스스로 한 말에 책임을 져야 할 것이다.

만에 하나 그 말이 거짓이었다면

짐은 그대뿐만 아니라
비야 가의 모든 식솔들에게
반역죄를 물어
참수형을 내릴 것이다.

웅성   웅성

그 뒤에는 리사 왕국을
전담하는 부서에서
교역 및 관세를
담당하고 있는
에넨 남작을 추궁했다.

에넨 남작은 신전을 통해
리사 왕국에서
독을 밀반입해 온 사실을
적극 부인하였으나

특정 신관에게
계속 기부금을 내 온
정황이 드러나
해당 신관과 상단의 주인이
재판에 소환되었다.

리사 왕국의 물품을 들여와
제국에 판매하는
상단의 주인인 바르바 로안은
독을 밀반입한 사실이
없다고 주장하였다.

바르바 로안, 계속 발뺌할 텐가?

네 정녕 모니크 영애를 해할 목적으로 독을 들여온 적이 없단 말이냐!

도, 도, 독이라굽쇼?

2년 전쯤 수도에 계신 신관님들께 드릴 귀한 약이 필요하다고 소렐 신관님께서 부탁하셔서 가끔 구해다 드리곤 했습죠.

다른 신관님들께서 아시면 곤란하니 비밀로 해 달라 하셔서 방금 그리 말씀드렸지만

그게 도, 독인 줄은 몰랐습니다요! 정말입니다!

폐하, 이는 명백한 겁박입니다!

계속 두고 볼 요량이십니까?

그게 독인 줄 알았으면 절대 신관님께 전해 드리지 않았을 것입니다요!

소렐 신관, 저자의 말이 사실인가?

그, 그렇습니다.

저 역시 그저 시키는 대로 행동하였을 뿐, 남작에게 그런 의도가 있었을 줄은 꿈에도 몰랐습니다.

그 사실을 증명해 보일 수 있는가.

이, 있습니다!

비밀리에 쓸 곳이 생겼으니 리사 왕국에서만 나는 희귀한 약을 구해 달라면서

공연히 검문에 걸리면 자신이 난처해지니 신전의 이름으로 들여와 달라고 당부했던 편지가 있습니다!

약이라고 했기에 저는 그저 그런 줄만 알았습니다. 정말입니다!

말미를 조금 주시면 보여드릴 수 있습니다!

뭣이라고! 소렐, 네놈이 감히!

…모두 끌고 가 투옥하라.

단, 소렐 신관의 경우 신전의 입장을 고려해 상크투스 비타에 그 신병을 맡긴다.

라니에르 백작.

귀하는 모니크 영애 독살 계획의 주도자로서 에넨 남작과 신전을 이용하여 리사 왕국에서 독을 반입, 이를 수도까지 운반하였으며

작년 건국기념제 연회에서 황제 폐하의 이름을 사칭하여 모니크 영애에게 독배를 건네는 일련의 일을 지휘하였다. 인정하는가?

어차피 그간의 조사에서 다 알아낸 일이 아닙니까. 더는 구차해지고 싶지 않습니다.

어째서 저렇게 순순히 답하는 거지? 제나 공작과 사전에 합의라도 본 것일까?

…그렇습니다.

수근 수근

모니크 영애를 중독시킨 독은 두 가지다. 꾸준히 하독해 온 것과 그간 쌓인 독을 증폭시키는 것.

귀하는 그중 후자의 것을 사용했다고 인정했다.

두 가지 독 모두 제가 반입한 것이 맞으며 독배의 일을 지휘한 사람 역시 저이나, 시녀를 매수하여 하독하는 작업은 제가 한 것이 아닙니다.

그 사건에 관여한 자들과 총책임자는 따로 있습니다.

그렇다면 제1기사단의 시녀를 매수하여 영애에게 지속적으로 하독해 온 것 역시 귀하가 지휘한 일인가?

홀텐 백작,
레슬랭 백작,
하멜 백작입니다.

백작, 그게
무슨 말이오!

내가 언제
이 사건에
관여했다는 거요!

라니에르, 네 이놈!
오래도록 갇혀 있더니
미친 건가!

폐하, 이것은
모함입니다!

그리고…

총책임자는
미르와
후작입니다.

!!

슬렁

슬렁

미르와
후작이라고?!

그 주장을 입증할
방법은 있나?

미르와 후작은 워낙
용의주도한 자라
명확한 증거는
없습니다만…

그가 **반역죄**를 저지른 것은 확실한 사실입니다.

…라니에르 백작, 그대가 어떻게 그 사실을 알고 있지?

예?

모니크 영애의 중독 사건 직후 내내 감옥에 갇혀 있던 백작이

어떻게 법정에 참여한 다른 이들조차 어제야 간신히 알게 된 '반역'을 언급하고 있느냐고 묻는 거다.

함께 역모를 꾸미던 자가 아니고서야 어떻게 그 사실을 미리 알고 있었단 말인가.

그것도 외부와의 접촉이 엄중하게 금지된 상황에서.

아, 아닙니다, 폐하!
반역이라니오!
신은 모르는 일입니다!

신이 모니크 영애를
해하려 한 것은 맞지만,
주신께 맹세코
폐하를 시해하려 한 적은
없습니다!

짐의 근신령을 무시한 채
누군가 황궁 감옥의
엄중한 감시라도 뚫고
전갈이라도 보냈단 말인가?

미, 미르와
후작입니다!

총책임자로서
보내는 마지막
전언이라고…!

그는 결코 그대에게
이 사실을 전달해
줄 수 없는 사람이다.

그제 밤 수도를
떠났으니.

그,
그것은……

발고가 들어온 이상
조사를 받아야 함이
원칙.

그대들은 그간의 공을 보아
구금하지는 않을 것이나,
자택을 벗어나는 것은
엄금하겠다.

174

이는 부재중인
미르와 후작과
홀텐 백작에게도
해당하는 바.

라스 공작,
기사들을 파견하여
두 사람에게 즉시
수도로 귀환하도록
명하시오.

예, 폐하!

이 자리에 참석한
모든 귀족은 재판이
종결되는 날까지 수도를
떠나는 것을 금한다!

이를 어기거나
소집에 불응할 경우
반역에 가담한 자로
간주하겠다!

진작
해결했어야 했는데
너무 오랜
시간이 걸렸군.

혼약
파기서…!

재상은 이 문서를
공식적인 기록으로
남기도록 하시오.

당장 말씀이십니까?

네, 폐하. 그리하겠습니다.

되도록 빨리 처리했으면 좋겠지만 여건상 그럴 수는 없겠지.

일단 보관하고 있다가, 차후 이 일이 마무리되거든 처리하도록 하시오.

예하께서 백방으로 애써 주신 점, 진심으로 감사드립니다.

대회의를 마무리 짓고 나면 영애와의 거래도 끝이군요. 수고하셨습니다.

신의 뜻을 인간이 깨달을 수는 없는 법.

피오니아 님과 이리 연을 맺은 것도

그리고 폐하와 거래를 한 것도 모두 비타의 뜻이겠지요.

예하, 지금
그 말씀은…?!

피오니아 님께서
제게 거래를
제안하시기 전,
이미 같은 얘기를
한 사람이 있었답니다.

바로
폐하셨죠.

그럴 수가!

신전의 개입 가능성을
보고했을 때
딱 잘라 말하는 걸 보고
몹시 섭섭해 했는데…

아무리 최고위 신관들과
대립하고 있다 하나
저 역시 비타를
모시는 신관입니다.

교단이
무너질 것을 생각하니
가슴이 선득하더군요.
어떻게든
선처를 구해 보려
했습니다만…

저보다
앞서 폐하께서
그러시더군요.

이 일에 연루된
신관들에 대한 전권을
제게 위임할 테니,
대신 한 가지 요구를
들어 달라고 말입니다.

폐하께서
요구하신 것은

피오니아 님을 위한
주기적인 축복이었죠.

축복이란 본디
나쁜 기운을
막아 주는 것.

미약한 가능성에
불과하더라도
한번 희망을 걸어
보겠다 하시더군요.

공연히 희망을 품었다가
마음 상하게
하고 싶지 않다고,
그러니 비밀로
해 달라고 하셨습니다.

제가 후작부인께
빚을 진 건 맞습니다만
그 이유만으로
축복을 드렸던 건
아니란 얘기지요.

섹스투스를
데려온 것도 싫은
그 때문입니다.

제국에 계속
머무를 명분을
만들어야 했거든요.

그런 것도
모르고 나는

지켜주겠다는 그를
차갑게 내치고

여성으로서의 삶을
포기하겠다며
드레스를 모두 불태웠지.

혼약을
파기해 달라던 내게
그는 애원했었다.
그리 단정 짓지 말라고,
자신이 다
해결해 주겠노라고.

지지 기반이
흔들릴지도 모르는
위험마저 감수하겠다고
얘기하면서.

한없이
배려해 주었는데

그토록
사랑받고 있었는데.

과거의 그와
다른 사람이란 건
알고 있지만

더는 예전처럼
비참한 미래가
오지 않을 것도
믿지만

그럼에도
두려워하고 있는
나 자신이 너무 미워….

이 모든 일을
꾸민 자가…!

미르와 후작!
정말로
당신이었단
말인가?

부상자가
많아.

어떡하지?

오전에 지은과
다툴 때까지만 해도,
이런 상황이
될 줄 몰랐는데.

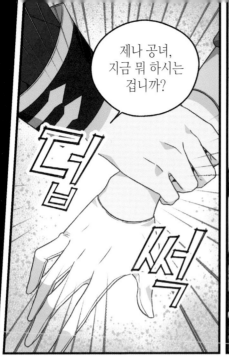

제나 공녀, 지금 뭐 하시는 겁니까?

내가 뭘?

신성력… 제대로 쓰시는군요.

그래. 그게 어쨌는데?

한데 어째서 그 신성력을 페덴 남작부인 앞에서는 볼 수 없었을까요?

정원의 꽃에는 이렇게 쉽게 쓰시면서.

그…!

그… 건….

설마하니 못 쓴 게 아니고 안 쓴 건가요?

그래!
못 쓴 게 아니라
안 쓴 거다.
어때, 만족해?

네가 원하는
대답이 이거지?!

어디 가?!

나 너한테
중요하게
할 얘기가
있단 말야!

저는 할 말
없습니다.

야!

모든 기사단에
특별 임무가
내려왔다.

184

미르와 후작
색출령이다.

소환령을 거부하고
도주한 중죄인이니
반드시 체포하도록.

또한 이 임무는
신설된 3, 4기사단과
조를 이뤄 수행한다.

후작을 발견하면
즉시 지원요청하라.

함정에 당했어.

놈들을 쫓느라
막다른 골목으로
유인당한 것도
눈치채지 못하다니.

평민지구라지만
수도 안에
복병을 뒀다는 건….

185

그 사람이
이 모든 걸 뒤에서
꾸몄다는 건가?

그리고 목적은
나겠지.

아리스티아!
무사해?!

카르세인?!

?!

왜 지은이
함께 있는 거지?

…빌어먹을!
어서 저년부터
제거해!

목표를
처리하는 건
그 다음이다!

뭐?
잠깐 기다려!

놈들이
지은에게…!

땅

이 자식들…!

태양

촤

카르세인!!

의

도와야 해요!

지금 가선
안 됩니다!

187

위험합니다, 영애!

…큭!

시모어 경?!

시모어 경!

정신 차려요!

미르와 후작!

정말로 당신이었군.

…포기할까?

저자의 목적이 나라면

어쩌면 나 하나로 끝내 줄지도 모르는 일이야.

이렇게 사람들이 다쳤는데

더 이상은….

…아냐!

꾸악

저자가
나 하나만으로
순순히
넘어갈 리 없지.

난
이 목숨이
다할 때까지
싸우겠어!

주검이 되어
돌아간 나를 보면
그도 슬퍼해 줄까?

안 돼!
카르세인!

끄아악

!!

미르와 후작?!
어째서…!

어떻게 된 거야?!
갑자기 자기 편을
공격하다니…!

대체 왜…?!

멈춰라!

모두
검을 버리고
물러서라!

너희는 모두
포위됐으니
허튼 짓 할 생각 마라.

젠장,
실패다!

얼른
퇴각해!

도주한 자들을
추격해라!

반역자들을
한 놈도
놓치지 마라!

꿈인가?

그가 여기까지
와 주다니…。

193

휴….

살았다….

카르세인!
정신 차려!

어쩌자고 혼자서
뛰어든 거야, 대체!

…넌
팔팔한 걸 보니
괜찮은가 보네….

다행이다.
늦지 않아서….

카르세인!

제나 공녀! 부탁드립니다. 카르세인 경을 살려 주십시오!

…못 해.

널 감싸려다 저렇게 되었는데, 그게 할 소리야?!

너, 심술 부리는 것도 정도가 있어!!

나도 돕고 싶어!! 살리고 싶어!!

그치만 정말로 못 한단 말이야!!

…내 신성력은…

진정하거라,
티아.
괜찮을 거다.

그치만
아버지…!

출혈이 심해
정신을 잃으셨습니다만,
급한 처치는 했으니
대신관님이 오실 때까지는
버티실 겁니다.

너무 걱정
마십시오.

아….

다행이다….

조금만 참아,
카르세인.

……

무사하셔서
다행입니다….

이 사람은 분명
4기사단의…

스피아 경.

모니크 경….

스피아 경이야말로
무사하셨군요.

어깨 상처는
좀 어떠세요?

조금만 더 버티세요.
곧 대신관이
올 겁니다.

그렇습니까?
그럼……

그전에
해결해야겠군요.

예?

…어?

명청하긴.
아직도 상황 판단이
안 되나?

죽어라.

뚝

뚝뚝

스피아 경,
무슨 짓을!!

모니크 영애!

아리스티아!!

죽어!
죽어 버려라!!

저주받아라,
모니크 가!!

제압해라!

괜찮을 거야!
조금만 기다려!

황궁의는
뭘 하고 있나!
어서 지혈을!

그런 모욕을
참을 정도로…

저런
천박한 여인들에게
그런 하찮은 소리를
들으면서도 반박 한번
하지 않을 만큼 그렇게
내가 싫은 건가,
그대는?

나 자신을
있는 그대로
봐 주면 안 될까?

그대가 지금까지
봐 온 것이 내 진짜
모습이라는 걸…….

그때가 오더라도
여전히 그대의 뜻에
변함이 없다면
난 그대를 따르겠어.

그러니 아리스티아,
마음을 굳건히 가지고…
절망해서 스스로를
포기하지는 말아 줘.

저, 아리스티아 피오니아
라 모니크는,
모니크 가의 54대
가주가 될 자로서…

황실과의
오랜 언약을
이행하고자 합니다.

저와의 혼약을
파기해 주십시오.

내게도 조금만
기회를 줄 수 없겠어?

…세월 아래
무뎌지지 않는 것은
없다 하였습니다.

만일 다음이 있다면…

…그때는… 반드시….

···!!

···설마 회귀하고
그동안 있었던
모든 일이

꿈···?

차악

어째서 내가
황궁에 있는 거지?!

깨어났구나, 티아.

아버지…!

다행이다.

지난 6년은
꿈이나 환상 같은 게
아니었어.

티아, 가문을
잇겠다는 마음에는
변함이 없느냐?

아비는 말이다,
사실 폐하를
탐탁지 않게
여겼단다.

너도 알다시피
정이 별로
없는 분이 아니더냐.

그래서 주군으로서
능력은 인정하지만
내 딸의 반려로는
달갑지 않았지.

하지만
폐하를 볼 때마다
네 눈빛이
흔들리는 것을
보았단다.

내 눈에는 어쩐지
네가 스스로 가슴에
못을 박고 있는 것처럼
보이는구나.

아비는 네가
어떤 결정을 하건
지지할 것이다.

그러니 무엇이건
네 마음 닿는 대로
행동하거라.

아버지···.

몸은 좀
괜찮아?

네, 폐하.

범인은 현재
심문 중이야.

습격자 중
둘 정도 체포했으니
배후를 밝혀내는 데
어려움은 없을 거고

기사들은 가슴에
화살을 맞아 사망한
견습 기사 한 명을
제외하고는 모두
무사해. 그리고…

눈이라도 좀
마주쳐 주지.

…폐하.

그러니 이제 곧
황실과의 연도 모두
정리될 테고.

…마지막으로
파혼서는 재상에게
따로 일러두었으니
오늘 중으로
처리될 거야.

폐하.

더는
걱정할 필요가…

페하의 품에 안겨
차갑게 식어 가던 때

마지막만큼은
페하의 품에서
맞이할 수 있어
다행이라
생각했습니다.

아리스티아…!

그리고
후회했습니다.

조금만 더 일찍
깨달았으면
좋았을 거라고요.

내가… 제대로
들은 거야?

그대 역시 내게
마음이 있다고…
그렇게 말한 거야?

같은 하늘 아래
살기만 하면
상관없다고

딜
쿵

먼발치에서나마
볼 수 있으면
그걸로 족하다고

그러니 그대를
살려만 달라고
빌고 또
빌었는데⋯.

감사합니다,
신이시여.
정말 감사합니다.

베리타 공작을 통해
내가 누워 있는 동안
어떤 일이 있었는지
듣게 되었다.

지난번
자객들의 배후가
우리가 처음부터
의심해 오던
제나 공작이라는 것.

미르와 후작이
우리 편에 섰다는 사실과
제나 공작이
독살을 지시한 서류를
입수했다는 것.

그리고 제나 공녀가
나에 대한
살인 미수 공모에 대해
증언해 주기로 한 것.

그런데
날 구한 것이
지은이라니….

어째서 지은은
날 살리려 했던 걸까?

제가 도착했을 때
피오니아 님께서는
이미 가망이 없는
상태였습니다.

생명력이 거의
소진된 데다가
맥마저 끊긴 상태였죠.

저조차도 포기했으나
갑자기 그때,
그라스페 님의 신성력이
느껴졌습니다.

제 생애
단 한 번밖에 보지 못한
짙고도 짙은
신성력이었습니다.

지은의 신성력은
사람에게 통하지
않는다고 했는데.

설마… 지은이
'소원'이라도
빌었단 말인가?

날 위해서…?

그리고…

기사 스피아가
사망했다는
소식을 접했다.

그는
제나 가 산하 상단의
여식에게
마음을 두고 있었으나

내가 상단을 파산시켜서
그 여인이 다른 곳으로
시집간 일 때문에
복수심을 품은 듯하다.

성인식 날
내 말의 고삐와 안장 끝을
잘라 놓은 것도
스피아 경이었다 하니

어쩌면 나는 그날
폐하를 만난 덕분에
살 수 있었던
걸지도 모른다.

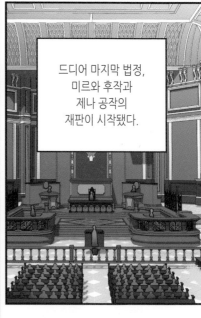

드디어 마지막 법정,
미르와 후작과
제나 공작의
재판이 시작됐다.

저는 모든 일을
방조하였을 뿐,
지휘한 것이
아닙니다.

제 혐의에 대해서
드릴 말씀이
있습니다.

슥

쿵

모든 일의
진정한 배후는
제나 공작입니다.

미르와 후작은
갓 상경해 아무런
지지 기반이 없던 때에
제나 공작이 접근해 온 일,

공감할 수 없는 신념이
다수 있었음에도
계파 내에서의 입지를
넓히기 위해
그와 손을 잡은 사실,

제나 공작이
나를 독살하라
지시했다는 것까지
진술했다.

그는 제나 공작을 막기 위해
온갖 수단을 다 써 보았으나
공작은 설득되기는커녕
궁내부원을 포섭해
나는 물론이고 폐하에게까지
손을 뻗었다고 했다.

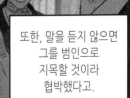

또한, 말을 듣지 않으면
그를 범인으로
지목할 것이라
협박했다고.

폐하, 설마 고작
저 정도의 말만 듣고
신을 의심하시는
겁니까?

제나 공작의
반응은
예상대로였다.

내 차에 꾸준히
독을 탔던 시녀의
내연남, 이안 벨로트가
자신의 딸을 납치당해
협박당했다는 증언.

황궁의인 노베 세나르가
자신의 의료사고를 빌미로
제나 공작에게 협박받아
폐하의 함구령에도,
제나 공작에게 나의
건강상태를 누설했다는 자백.

저들은 전부
거짓을 고하고
있습니다.

증인들이 연이어
진술해도
제나 공작은
모든 혐의를 부인했다.

만일 독살 계획이
지금처럼 발각되지 않고
계속해서
실행되고 있었더라면?

그리고 그 상황에서
공작의 양녀 지은이
황후의 자리에 올라
후계자를 낳았더라면?

공작이 제국을
손안에 쥐는 것도
가능하지 않았을까?

폭군이 된
황제를 몰아낸 뒤
어린 황제의 조부로서
권력을 행사할 수
있었을 테니.

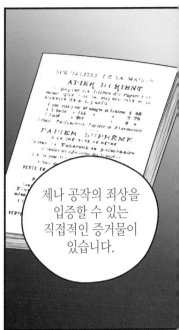

제나 공작의 죄상을
입증할 수 있는
직접적인 증거물이
있습니다.

이것은 공작이
제게 보낸
기밀 서류로

황제 폐하를
시해하려 들었던
바로 그 계획을
적은 것입니다.

나는 그것이
무엇인지 모른다.
내가 보냈다는
증거라도 있나?

볼렌테 카스티나.
이 문장을
조사한 결과

라스 가에서
사용하기 전부터
제나 공작가가 이를
기치로 삼았음을
알게 됐소.

몇 백 년 전의 일을 근거로 들어 본가를 범인으로 지목하는 것은 지나친 비약이 아닌가?

오히려 라스 가를 범인이라 생각하는 것이 합리적이지 않느냐 말이다.

제나 가의 비밀 장소에서 같은 문양의 인장을 발견했소만.

이미 저 문서에 찍힌 것과 동일하다고 판명되었소.

네놈…!

네놈이…!

224

제나 공작, 10년 전 선황제 폐하께서 주신 기회를 결국 저버리는군!

볼렌테 카스티나. 제국의 뜻대로, 이제 그만 사라질 시간이오.

이, 이…!

공작 전하!

웅성 웅성

판결.

제나 공작의
모든 직계 혈족은
공작과 동일한 죄를 물어
참수형에 처한다.

아리스티아
라 모니크!
네년이 감히 날
배신해!

따
악

난 약속을
지키려 했어,
제나 공작.

그를 어기고
뒤에서
반역에 가담한 당신이
잘못한 거야.

…그날,
자객의 습격 계획을
알린 사람이 너라며?

왜 그런 거지?

……

그냥 묵인했더라면,
최소한 네가 바라던 것 중
하나쯤은 이루었을 텐데.

지은.
네가 싫었어.

갑자기 나타나
모든 걸 앗아 가고서는
아무것도 모른다는 얼굴로
웃는 네가 싫었고

나보다 무엇 하나
나은 점이 없는 네가
그의 사랑을 차지했다는
사실이 분했어.

과거에도
이런 일이
있었어?

그가…
중독된 적이
있었냐고.

평생 가꿔 왔던
모든 것을 송두리째
빼앗겼다는 사실을
인정할 수가 없었어.

…두통, 어지러움,
불면증,
극심한 감정 변화.

전부 그가
죽기 전 보였던
증상이야.

고작
4년이었어.

네가 죽은
뒤로부터.

너도 알다시피
나는 정치는 잘 몰라.
나름대로 노력했는데
그것만큼은 아무리
공부해도 잘 안 되더라고.

그래서 정확히
무슨 일이 있었는지는
모르겠어.

두 공작이 떠난 이후로
그는 차츰 더 잠을
못 이루었고,
툭하면 신경질을
부렸다는 것.

언제부터인가
나를 멀리하고
주위를 경계했다는 것.

그리고 어느 날
원정을 나간다며
수도를 떠났다가…

다시는
돌아오지
않았다는 것.

왜… 수도를
떠났어?

몰라.
그는 아무것도
얘기해 주지 않았어.

오죽했으면
회임 중인
나를 버리고
원정을 떠났겠어.

그는 아마 어쩔 수 없이 수도를 버렸을 거야.

후계자가 태어난다면 그는 그 즉시 죽은 목숨일 테니.

그래서 도박인 줄 알면서도 군사를 이끌고 떠난 것은 아닐까?

어떻게든 병력을 끌어모아 자신과 지은, 그리고 후계자를 구해 보기 위해서.

그때 나는 필사적이었어.

너는 지지 세력이라도 있었지만, 내게는 정말 아무것도 없었으니까.

우여곡절 끝에 황녀를 낳고는 몸을 추스를 시간도 없이 도망쳐야 했어.

하지만 결국 붙잡혀 죽임을 당했지.

제멋대로
사랑을 속삭이더니
결국엔 나를 홀로 팽개친
그가 원망스러웠어.

사람을 이상한 곳에
떨궈 놓고는
나 몰라라 하는 신이
증오스러웠어.

나도
네가 싫었어.

넌 내가 모든 걸
앗아 갔다고 말했지만,
결국에는 무엇 하나
빼앗기지 않았으니까.

넌 황후의 자리에서
밀려났어도
계속 귀족들의
지지를 받았고

나를 황후로 올린
사람들조차
모두 너와 나를
비교했지.

그나마
내가 가진 줄 알았던
신의 사랑도, 그리고
그의 마음마저도…
결국엔 모두
네 것이었어.

아무리 노력해도
나라는 사람은 오로지
너의 대용품.
너보다 못한
비교 대상이었을 뿐.

나를 나 자신으로
봐 주는 사람은
아무도 없었지.

눈을 감는 순간
난 깨달았어.

이제 와서 신에게
원래 살던 세상으로
돌려보내 달라고 해 봤자
평생 그 기억 속에서
허우적거리고
살 것임을.

하지만 기억을
지워 달라고 하면
그거야말로
진정한 패배자가
되는 거라 생각했어.

알겠어?
모든 걸 바로잡고
싶었던 건
너뿐만이 아니야.

눈을 뜨니까
또다시
그가 있더군.

내 가슴에
칼을 찔러 넣었던
자와 함께.

나를 이용한 그들에게
복수할 생각으로
제나 가에 양녀로
들어간 거야.

가까이 있어야
약점을 잡기도
쉬울 테니까.

왜 너를
살렸냐고 물었지?

습격을 받은
그날 본 그는
내가 알던 그 사람이
아니었어.

그런 말투,
그런 행동...
그걸 보고 나니
뭐가 뭔지
모르겠더라.

정말 과거와 현재는
다른 건가.
그럼 나는 여태껏
무얼 한 건가....

그러다 보니까

이제는
내가 왜 여기
있어야 하는지도
모르겠더라고.

······재판 결과,
나왔지.

반역 죄인의
자손이니
나도 사형인가?

폐하,
자결이라니요.
너무 가혹하지
않습니까?

나도 썩
내키지는 않지만,
중론이 그러니
어쩔 수 없잖아.

정 그렇다면
한 가지 방법을
제시하겠어.

사망한 것으로
위장하고 공녀를
빼내 줄게.

단, 황궁을
빠져나가는 즉시
제국령에서
벗어나야 하며

두 번 다시
제국의 땅을
밟아선 안 돼.

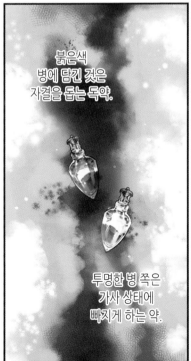

붉은색
병에 담긴 것은
자결을 돕는 독약.

투명한 병 쪽은
가사 상태에
빠지게 하는 약.

이것을 내려놓고 간다면
이제 더는 지은과
얽일 일도 없을 터.

그녀만 없어지면
나는 과거의 기억을
완벽하게
단절시킬 수 있어.

퍼

려

대신관의 말에 따르면,
신성력을 상실할 때
머리색이 변한다 했어.

...정말로
'소원'을 썼구나.

아리스티아.

만일 그가
나를 사랑하지
않았다면

끝없이 배려하지
않았다면,
나를 중도에
포기했더라면

나는 지금처럼
운명을 바꿔 낼 수
있었을까?

내가 과연
과거를 극복하고
사랑을 다시
믿을 수 있었을까?

고마워요.
계속 밀어냈는데도
날 포기하지 않아 줘서.
사랑한다 얘기해 줘서.

그리고 운명을
바꿀 수 있게
해 줘서.

운명이라는 게
혹 예전에 꿨다던
그 꿈을
일컫는 건가?

폐하, 어떻게
그걸 알고….

그대의 꿈에서
나는 어떤
사람이었어?

알고 싶어.
내가 그대를 어떻게
상처 입혔는지

그대가 꿈속에서
나에게 바랐던 것은
무엇인지.

그래서 그대가
그런 일을 절대로
겪지 않도록
하고 싶어.

국경 시찰을 가다 잠시 들렀던 때, 넋을 잃은 그대의 모습을 보며 많은 생각을 했어.

대강 알겠어. 별로 좋지 못한 결말이었겠군.

어째서 이리도 나를 두려워하는지

왜 온갖 부담을 감수하면서까지 혼약을 파기하고자 하는 건지.

그러던 중 베리타 공자의 편지를 보게 됐어.

미안했어. 기억조차 못 하는 어린 시절의 일을 가지고 내내 미워했다는 것이.

고마워.
솔직하게
얘기해 줘서.

내가 잘할게.
다시는 그런 악몽을
꾸지 않도록.

그러니까

루브라고
불러 주지
않겠어?

…루브.

고마워, 티아.

오랜만이네.
마주 앉아서
차 마시는 거.

이러고
있으니까
옛날 생각난다.

비 오는 날이면
이렇게
창가에 앉아서
차를 마시곤
했는데.

풀떼기 녀석,
잘 살고 있으려나.

집에는 한두 번
들른 것 같던데.

그래도 살아는
있었나 보네.

살다 살다
그 자식이
보고 싶은 날이
올 줄은
꿈에도 몰랐다.

오랜만에
옛날 얘기하니까
좋다.

…아리스티아,

그때
그 약속 말이야.

아, 응.
이틀 정도 시간을
내 달라는 거
말이지?

그립기도 하고.

이제는
지키지 않아도
될 것 같아.

왜?

……

어머니께서
그런 얘길
하셨어.

처음엔 아버지를
사랑하는 것은
아니었지만

같이 있으면
편하고 즐거웠기에
결혼을
결심하셨다고.

그러다 문득
깨달으셨대.

나 역시
그렇게
살고 싶었어.

아버지가
그러셨던 것처럼
뜨겁게 사랑하고

어머니가
받으셨던 것처럼
잔잔하게
사랑받고 싶었지.

꼭 불처럼
타오르는 것이 아니어도,
물 흐르듯
잔잔한 사랑 역시
존재한다는 것을.

그 들판
기억나?

너희 영지에서
돌아오는 길에
잠깐 걸었던.

응.
물론이지.

그날의 풍경을
어찌
잊을 수 있을까.

사실은 너에게 함께
그곳에 가 보자고
부탁하려 했어.

하고 싶은
이야기도 있었고.

그런데…

이제는
그럴 필요가
없어졌어.

카르세인…?

슬슬 가 봐야지.
각하께서
걱정하시겠다.

비도 그쳤고.

어…?
으, 응…

뭘까?
어쩐지 밀어내는
듯한 기분이….

그럼… 갈게,
카르세인.
나중에 봐.

잘 가.
아리스티아.

그래….

넌 지금 내게
이별을 말하고
있는 거구나.

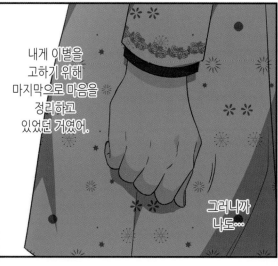

내게 이별을
고하기 위해
마지막으로 마음을
정리하고
있었던 거였어.

그러니까
나도…

뒤돌아봐선
안 돼.

안녕,
카르세인.

그동안 수고했네, 모니크 경.

감사합니다, 단장님.

늘 네가 기사를 관두길 바랐는데… 막상 이걸 보니 기분이 이상하구나.

죄송해요, 아버지. 오래도록 모시고 싶었는데.

아니다. 아비는 네가 행복하다면 그걸로 충분하다.

아버지는 황실과 합의를 본 사항에 대해 말씀해 주셨다.

나는 황후가 되더라도 모니크 가의 후계자로서 활동할 수 있다는 것.

아버지께서 비타의 품으로 돌아가신 후에도 작위는 내게 승계되는 것.

그 경우
모니크 가의 모든 것은
나만의 소유가 되며

즉 나는
황후인 동시에
미래의 모니크
후작으로서

가문의 모든 것을
좌지우지할
독립적인 권한을
가지게 된다는
이야기였다.

추후 황태자가 될
황자를 제외한
은발의 아이 중 하나에게
작위를 넘기면 된다고.

안녕하십니까,
모니크 영애.

작위는 유지하되 향후
10년간 대귀족으로서의
권리를 박탈하고
백작에 준해 대우하며

미르와 영지의 2할 및
대리석 채석장 세 곳을
몰수하여
황실에 귀속시킬 것을
명 받았지만

미르와 후작은
지난 판결에서 서열을
다섯 단계 낮춰
후작가 중 최하위로
강등됐다.

그는 그 판결에
크게 불만을
표시하지 않았다.

저희 계파에 감정이 좋지 않으시겠지만

모쪼록 일부 때문에 전체를 미워하지는 말아 주십시오.

어려운 부탁인 줄은 압니다.

허나 따지고 보면 우리는 모두 제국을 위해 일하는 사람들이 아닙니까?

실현 방법에 견해 차이가 있을 뿐, 본디 계파의 본질은 더 나은 제국의 건설을 위해 존재하는 것.

그를 망각한 일부 강경파들은 이번 일로 그 세력을 잃게 되었으니

앞으로 귀족파는 미르와 후작을 위시한 온건파들이 장악할 거야.

그리되면
여러 가지 면에서
이전보다는
한결 나아지겠지.

죄인에게
죽음을!

반역자에게
저주를!

괜찮겠어?

끄덕

지난번 조사에서
알게 된
사실이 있다.

모니크 가가 제국의 제일
충신이라 불리기 전,
황실에서 행하는
모든 음지의 일은
제나 가의
몫이었다고 한다.

VOLENTE

CASTINA

볼렌테 카스티나의
기치를 내걸었던 것 역시
그 때문이었던 것이다.

제나 가가
모니크 가에 대해
가진 억하심정을
이해 못 하는 바는
아니었지만

그러나 피의 맹세로 인한
절대적 신뢰 관계가
구축되면서
그들은 본가에 그 역할을
빼앗기게 되었고

점점 황가와 멀어지다
급기야는 귀족파로
노선마저 변경하게
되었다고 한다.

그는 그 정도가
지나쳤다.

어쩌면 신이 나를
돌려보낸
이유 중 하나는
이것이 아니었을까.

공작의 탐욕 때문에
죄 없이 스러져 간
많은 생명을
구하기 위해서?

이 연놈들!
내 지옥에서도…!

와
아
아
아

제가 어렸던 시절,
상크투스 비타로
찾아온 한 여인이
있었습니다.

그녀는 자신의 어머니를 치유해 주길 빌었는데

당시 저를 돌봐 주던 고위 신관들이 제게 기부금 없이는 신성력을 베풀어서는 안 된다고 말했기에

마음이 무거웠지만 모르는 척 외면했습니다.

며칠 뒤 여인은 저를 찾아와 너 때문에 내 어머니가 죽었노라고 화를 냈지요.

그 여인이 바로 모니크 후작부인 입니다.

그 일로 후작부인은 저를 몹시 증오하셨습니다.

나중에 용서받기는 했습니다만 늘 죄책감이 남아 있었습니다.

이제야 빚을 조금 갚은 것 같네요.

그랬구나.

그래서 늘 내게 이것저것 해 주려 애썼던 건가.

한 가지만
여쭈어도 되겠습니까?
예하.

신은 분명
제 축복의 아이 때문에
많은 이들의 운명이
뒤틀렸노라고,
그래서 그를 바로잡기 위해
시간을 되돌렸다 했다.

혹 지금의
내 모습 역시
이미 정해진
운명이었던 것은
아닐까?

신은 운명이란
인간에게 주어진
피할 수 없는
결정이라 했다.

그렇다면
그 운명을
정하는 것은
누구인가.

무수한 고민 끝에
자신이 내린 결론이라면
그것이 정답
아니겠습니까.

저로서는 그런 고민의
과정과 결과 모두가
주신의 뜻이라고
말씀드릴 수밖에요.

그래.
피오니아라는 이름.

그렇게도
벗어나고자 했던
신의 이름이
주어지고 나서야.

나는 그 멀고도
험한 길에 첫발을
내딛을 결심을 했어.

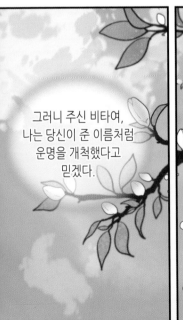

그러니 주신 비타여,
나는 당신이 준 이름처럼
운명을 개척했다고
믿겠다.

오래도록 거부하고
때로는 원망했지만
이제는 그런 이름을 준
당신에게
감사를 표하겠다.

그 이름이 아니었다면
나는 이미 오래전에
황성에서 밀어져
버렸을 테니.

그랬다면 지금처럼
그와 마음을 나눌 수도,
함께하는 미래를
꿈꿀 수도 없었을 테니.

내 몸에
흐르는 피와
내 몸 안에서
뛰는 심장으로

이 생명과
마음을 걸고
그대에게
평생을 바치오니

폐하,
피의 맹세를…!

부디 내 소원을
허락해 주오.
티아, 나의 정인이여.

그대의 소원은…
무엇입니까.

나의 소원은
죽는 날까지
그대와 함께하는 것.

같이 잠들고
함께 일어나며
힘을 합쳐 제국을 돌보고
기쁨과 슬픔을 나누며

서로가 서로만을
바라보면서
그렇게 살아가는 것.

대가가
평생인데도요?

그대가
내 소원을 들어 주면
나도 그대의 평생을
갖게 되잖아.

공평한 거래라고
생각하는데.

맹세를 어기면
목숨을
잃게 되는데도?

상관없어.
죽는 날까지
그대를 향한 마음이
변할 일은
없을 테니까.

그러니 이제 답해 주시오.

…그대의 소원을 허락하니…

내 소원을 받아들이겠소?

그대의 피와 심장은 나의 것.

누구든 맹세를 어기는 자 피의 저주를 받을지니.

이것은 신성한 언약. 사자와 창에 새겨진 피의 맹세라.

생명의 축복이
함께할지니

생명의 아버지
주신 비타이시여.

지금 당신의 앞에
영광스러운
제국의 태양과

고귀한 달이 될
신탁의 아이가
서 있습니다.

부디 이들의
결합을 축복하사…

아리스티아
피오니아 라 모니크.
짐의 맹약자이자
오직 하나뿐인 반려.

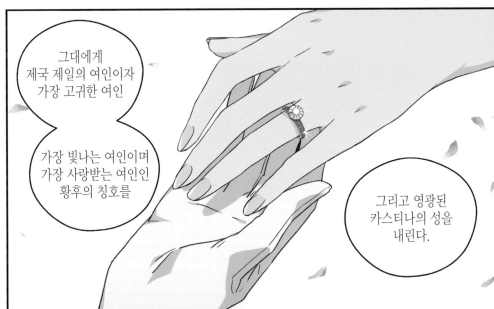

그대에게
제국 제일의 여인이자
가장 고귀한 여인

가장 빛나는 여인이며
가장 사랑받는 여인인
황후의 칭호를

그리고 영광된
카스티나의 성을
내린다.

주신 비타와
태양의 가호가
그대와 함께하기를.

-완결-

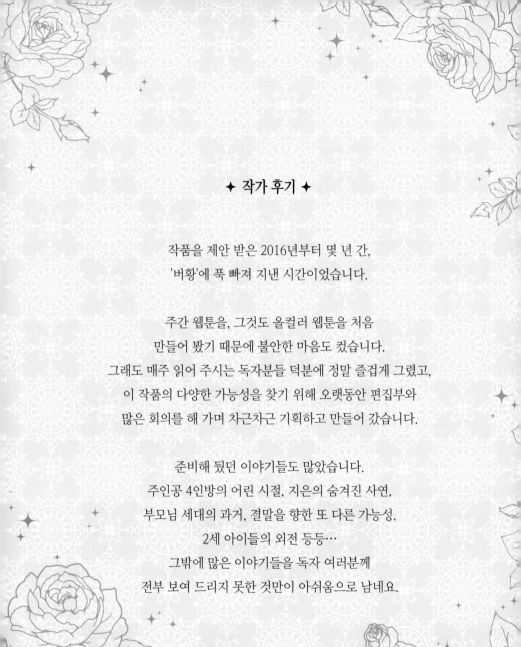

✦ 작가 후기 ✦

작품을 제안 받은 2016년부터 몇 년 간,
'버황'에 푹 빠져 지낸 시간이었습니다.

주간 웹툰을, 그것도 올컬러 웹툰을 처음
만들어 봤기 때문에 불안한 마음도 컸습니다.
그래도 매주 읽어 주시는 독자분들 덕분에 정말 즐겁게 그렸고,
이 작품의 다양한 가능성을 찾기 위해 오랫동안 편집부와
많은 회의를 해 가며 차근차근 기획하고 만들어 갔습니다.

준비해 뒀던 이야기들도 많았습니다.
주인공 4인방의 어린 시절, 지은의 숨겨진 사연,
부모님 세대의 과거, 결말을 향한 또 다른 가능성,
2세 아이들의 외전 등등…
그밖에 많은 이야기들을 독자 여러분께
전부 보여 드리지 못한 것만이 아쉬움으로 남네요.

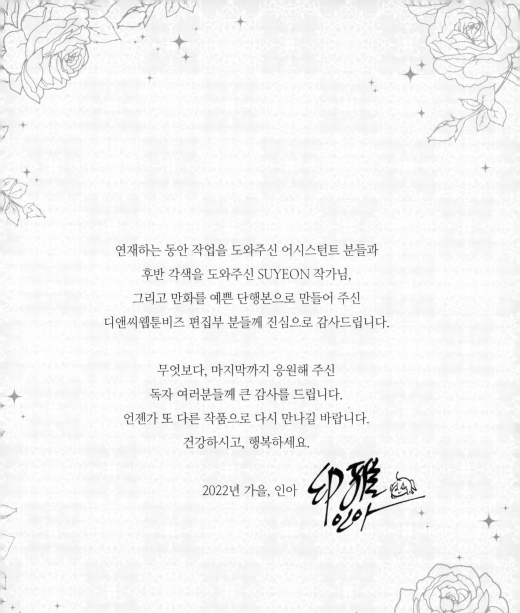

연재하는 동안 작업을 도와주신 어시스턴트 분들과
후반 각색을 도와주신 SUYEON 작가님,
그리고 만화를 예쁜 단행본으로 만들어 주신
디앤씨웹툰비즈 편집부 분들께 진심으로 감사드립니다.

무엇보다, 마지막까지 응원해 주신
독자 여러분들께 큰 감사를 드립니다.
언젠가 또 다른 작품으로 다시 만나길 바랍니다.
건강하시고, 행복하세요.

2022년 가을, 인아

버림받은 황비 9 완결

초판 발행 2022년 11월 18일

만화 인아
원작 정유나

펴낸이 이왕호
본부장 곽혜은
편집팀장 장혜경
책임편집 장혜경
디자인 크리에이티브그룹 디헌
표지 박 문양 디자인 송지혜

국제업무 박진해 전은지 유자영 박이서 남궁명일
온라인 마케팅 박선혜 김경태 박서희
영업 조은걸
관리 채영은
물류 최준혁

펴낸곳 (주)디앤씨웹툰비즈
출판등록 2002년 12월 9일 제25100-2020-000093호
주소 서울시 구로구 디지털로 26길 111 JnK디지털타워 1401호
대표전화 (02)6124-6450 팩스 (02)6004-6213
전자우편 book@dncwebtoonbiz.com
블로그 blog.naver.com/dncent
ISBN 979-11-6777-024-0
        979-11-91363-04-3 (set)